D1531256

Luigi Malerba

Diario di un sognatore

Einaudi

Diario di un sognatore

Prologo del sognatore

C'è un luogo dove accadono le cose piú strane, dove il tempo e lo spazio sono oggetto di una beffa continua, dove convivono il tragico, il grottesco, l'assurdo. Questo luogo è il sogno. A metà strada fra preistoria e fantascienza, il sogno è anche il luogo di tutte le ambiguità, l'anagrafe di tutti i fantasmi che popolano la nostra mente, lo spazio dove si incontrano persone e cose della vita, ma che piú spesso *esistono solo lí* e non hanno alcun riscontro nella realtà. Come le figure di un film sullo schermo, le immagini del sogno si dissolvono con l'arrivo della luce. Talora non lasciano tracce sensibili e svaniscono nel nulla, in altri casi si imprimono profondamente nella memoria e ci perseguitano per giorni o anni.

Quali sono i rapporti dell'uomo con i propri sogni? E di quali messaggi i sogni sono messaggeri? Fino dai tempi piú remoti l'uomo ha tentato di attribuire un significato alle immagini che gli apparivano durante il sonno. Ne è nata una lunga avventura interpretativa che attraversa i secoli alla ricerca dei segni e degli indizi capaci di dare, per mezzo dei sogni, un significato nuovo o diverso alle vicende della realtà quotidiana. Questa ricerca di un significato viene dunque esercitata proprio nel luogo dell'insensato e dell'arbitrario, dove agiscono gli stimoli provenienti dai sottolivelli della coscienza. Ma bisogna mettere in conto la facilità con cui si presta a una interpretazione simbolica tutto ciò che appare avvolto in un alone fantastico e privo di coerenza logica.

Nella antichità l'interpretazione dei sogni è stata usata

spesso come strumento di intimidazione o della intimidazione ha assunto i connotati. Nella Bibbia Giuseppe viene minacciato dai fratelli i quali credono di vedere nei suoi sogni un desiderio di sopraffazione: «Ecco il sognatore che viene, venite, uccidiamolo». Ma quando Giuseppe spiega al Faraone il sogno delle sette vacche grasse e delle sette spighe piene, questo gli conferisce i poteri sull'Egitto. L'*Apocalisse* di Giovanni agisce come una profezia totale e perciò come totale intimidazione e strumento di terrore. L'*Apocalisse* è il sogno per eccellenza, del sogno ha la composizione per immagini, le quali rimandano continuamente a un significato o a una molteplicità di significati che la qualificano come un immenso deposito di figure al quale si continua a attingere lungo i secoli. È anche il tentativo piú organico di dare al sogno una struttura sua propria, non solo narrativa, ma figurativa e simbolica. «Dal trono escono lampi, voci, e tuoni». Solo il cinematografo ha la stessa forza evocativa e la stessa completezza espressiva del sogno: l'immagine, la parola, il rumore. Ma a quei tempi Dio non disponeva di altri mezzi che del sogno per diffondere le sue profezie e i suoi terrori emblematici.

Poiché il sogno si compone al di fuori della nostra volontà, siamo portati a attribuirgli fino dai tempi piú lontani un valore di divinazione e comunicazione con l'eterno come se provenisse direttamente dal regno degli dèi. «Nelle epoche di civiltà rozza e primordiale l'uomo credette di conoscere nel sogno un *secondo mondo reale*; è questa l'origine di ogni metafisica». Nietzsche attribuisce dunque al sogno una responsabilità nell'area delle grandi astrazioni. Da una parte strumento di intimidazione e potere, dall'altra laboratorio di astrazioni. Al di là dell'uso che se ne è fatto nel corso dei secoli, il sogno rimane una zona affascinante ma oscura della mente umana, un fenomeno che sfugge anche ai controlli della coscienza, ma carico di responsabilità perché su di esso si concentrano le proiezioni personali e collettive delle inquietudini umane.

Questo libro è composto dalle trascrizioni dei miei sogni lungo il corso di un anno, il 1979. Una cronaca dunque o un diario di eventi che appartengono all'area dell'immaginario e che ho riferito con la massima precisione e fedeltà che mi erano consentite, come se si trattasse di resoconti destinati a una indagine scientifica. Mi rendo conto che nella pretesa di offrire una descrizione precisa di una materia per definizione incerta e fuggitiva come il sogno si manifesta subito una prima vistosa contraddizione di questo progetto.

Uno scarto obiettivo si verifica anzitutto nel passaggio dal fenomeno alla sua trascrizione, ma ciò non è uno scandalo dal momento che appare inevitabile questa forma di comunicazione. Nonostante le intenzioni di rigore descrittivo, che già subiscono l'ipoteca della scrittura, i resoconti sono condizionati anche dalla memoria. Avere buona memoria per i propri sogni non impedisce che talora le immagini restino impresse in modo incerto o incompleto. Credo che rientri nella norma l'eventualità che un certo numero di sogni, o una loro parte, venga dimenticato. Anche nella realtà ogni evento ha un suo quoziente di incidenza mnemonica che dipende da leggi bizzarre e imprevedibili. Il tentativo di costruire una minima fenomenologia del sogno è dunque un'operazione che richiede il superamento di ogni formalismo se non si vuole uscire dall'area positiva nella quale vorrebbe inscriversi questa ricerca. Anche nell'inseguimento dei fantasmi onirici si esercita la pedanteria dell'archivista che ha scelto gli incerti itinerari del sogno per attuare la sua registrazione.

Questo libro alla fine non si propone niente di piú che offrire del materiale di prima mano su una attività della mente che si svolge nel buio e che, da Artemidoro a Freud, è stata oggetto di innumerevoli interpretazioni per simboli, associazioni, opposizioni, analogie e vagabonde fantasie. La tentazione di attribuire un significato a tutto, in ogni occasione e situazione, ha prodotto una nevrosi semiologica che non si arresta davanti a nessun ostacolo, che rifiuta o ignora per principio la stranezza dell'universo e l'oscurità del suo disegno ultimo. Un corpus omogeneo di segni (di sogni) prodotti dallo stesso soggetto, può offrire il pretesto per nuove indagini e per nuove ipotesi, compresa quella estrema della totale insignificanza.

Le incertezze e i sospetti che hanno gettato sull'universo fisico la scienza e la filosofia del nostro secolo da Heisenberg a Wittgenstein, mettendo in forse le sue strutture e i suoi materiali tradizionali, hanno portato l'attenzione sugli spazi onirici, sui territori «interni» dove crescono e si agitano i fantasmi dell'immaginario. È qui che si tende a ricercare il segno rivelatore dei dilemmi e dissesti della personalità e dei suoi dintorni. È qui che si esercita un largo settore della psicanalisi alla ricerca di nuove certezze.

Ciò che suscita perplessità nella teoria di Freud sul sogno è anzitutto la sua impostazione «clinica», sia nella scelta dei soggetti che nella manipolazione cui vengono sottoposti i loro sogni. Di per sé il sogno non è un sintomo patologico, né il soggetto che sogna è da tenere in sospetto di malattia, a meno di considerare malati tutti gli abitatori della crosta terrestre. È piú conveniente stabilire un presupposto di salute e inscrivere il sogno e il sognatore entro i confini della «normalità», intendendo grossolanamente come soggetti normali coloro che hanno accettato il contesto nel quale vivono e hanno tolleranza per le proprie contraddizioni interne. Nell'uno caso e nell'altro accettazione e tolleranza non significano approvazione pacifica, i conflitti permangono oltre i sigilli, ma non sono tali da mettere il soggetto sommariamente definito normale «fuori della società» o «fuori di sé». È sulla base di tali ovvie premesse che questo lavoro reclama un suo credito presso i lettori.

Altri appunti sono stati mossi alla teoria dei sogni di Freud. Anzitutto l'interpretazione simbolica può subire scarti e variazioni da soggetto a soggetto, non usufruisce di un codice universale. Inoltre una parte dei simboli onirici piú comuni, in particolare quelli che denotano organi o funzioni sessuali, secondo Calvin Hall sono presi a prestito dal patrimonio popolare e triviale comune a popoli e tempi lontani e che comunque precedono la psicanalisi. Non si tratta dunque di un linguaggio peculiare del sogno, ma di una simbologia tradizionale in uso da molti e antichi tempi e luoghi. In piú si è notato che le interpretazioni che si basano sui giochi di parole valgono solo per il tedesco, la lingua dell'autore e dei soggetti, e deperiscono o perdono ogni senso per coloro che sognano in altre lingue. In quanto alla lettura dei sogni come appagamento di desideri rimossi, centro e motore della teoria, Freud forza evidentemente la sua tesi: ognuno di noi può trarre dalla propria esperienza molti casi di sogni che non possono in alcun modo essere annoverati nella sfera del desiderio. Si vedrà da questo stesso repertorio di sogni che solo una minima parte di essi può rientrare in questo orizzonte. Scrive Wittgenstein nelle sue *Conversazioni su Freud*: «Freud era influenzato dall'idea ottocentesca della dinamica, un'idea che ha influito su tutto il modo di fare psicologia. Freud voleva trovare una qualche, unica, spiegazione che potesse mostrare che cos'è il sognare. Voleva trovare l'*essenza* del sognatore. E avrebbe respinto qualsiasi suggestione di avere in parte ragione ma non del tutto. Aver torto in parte, avrebbe significato per lui aver torto del tutto, non aver trovato realmente l'essenza del sogno».

L'avere stabilito da principio un rapporto «professionale» con i miei sogni ha in qualche caso condizionato la loro natura e il loro svolgimento. È possibile quindi procedere a una prima constatazione: il sogno può «rispondere» a una attesa e svolgersi su una falsariga in qualche misura tracciata da questa attesa. Con ciò viene messa in dubbio la sua spontaneità e ci si domanda: esistono alcuni percorsi prevedibili dal positivo all'immaginario? Si riuscirà a individuarli? Da campo di indagine passivo il sogno potrà rientrare nell'area delle attività mentali controllate o addirittura «pilotate»? È evidente che per ora si tratta solo di domande senza risposta anche se qualche tentativo di correggere o migliorare i propri sogni lo facevano già gli antichi saggi della Magna Grecia. «I Pitagorici», racconta Giamblico nella sua *Vita Pitagorica*, «al momento di andare a dormire purificavano lo spirito dal tumulto e dallo strepito della giornata per mezzo di canti e melodie particolari e cosí si procacciavano sonni tranquilli con pochi e buoni sogni».

La scelta di un percorso temporale, un anno in questo caso, è arbitraria. È uno dei limiti di un lavoro che, per non sottostare alle convenzioni retoriche e narrative, assume una forma «aperta» e cioè conforme alla arbitrarietà e casualità del fenomeno che si propone di descrivere. Si sceglie una delimitazione temporale nello stesso modo in cui un segmento viene assunto come immagine della retta che è infinita.

I percorsi seguiti dai sogni nella loro formazione si sviluppano secondo diagrammi mentali e non retorici e perciò questo libro nel caso migliore darà l'immagine piuttosto di un procedimento mentale che di un procedimento narrativo anche se, nel momento in cui il sogno viene trascritto dalle immagini alle parole, forzatamente si dispone secondo le capacità figurative del linguaggio scritto. In questo senso il libro raggiunge il suo massimo valore evocativo soltanto per chi l'ha composto. Il lettore si troverà nello stesso disagio del pittore che vuole dipingere un fiore basandosi sulla descrizione di chi questo fiore lo ha visto con i propri occhi.

Il cumulo dei significati che si attribuiscono ai sogni, i desideri, le premonizioni, le proiezioni, le intenzioni, le frustrazioni riscontrate di volta in volta secondo i codici di interpretazione degli antichi o le teorie dei moderni, sono fantasmi che si affollano in un castello ormai inabitabile. Si sa che i fantasmi sono capricciosi, sfuggenti e, salvo rare eccezioni romanzesche, del tutto refrattari al dialogo con gli umani. Non tenterò quindi di avventurarmi nella interpretazione dei sogni registrati in questo diario notturno. Ho cercato invece qua e là di mettere i sogni in rapporto con i fatti, i discorsi, le immagini e le occasioni che possono avere influito sulla loro formazione. A loro volta i sogni diventano di per se stessi esperienze reali senza per questo dover rendere conto alla realtà delle loro strutture e forme. Il rapporto tra *la cosa* e *l'immagine* che rende concrete le nostre percezioni nell'ambito del reale, decade nel sogno per *assenza della cosa*. Per quanto il sogno si presenti spesso come prolungamento e digressione della realtà, le sue immagini sono dunque senza fondamento e non si dispongono secondo un ordine, ma lo creano a posteriori, lo inventano. Il modello potrebbe essere quello dell'*opus incertum* dove i materiali si organizzano secondo semplice contiguità e tuttavia il risultato finale assume la forma del muro.

Da dove provengono questi materiali? Dietro ogni gesto, ogni evento della vita reale, dietro ogni oggetto, si nasconde una infinità di gesti, eventi e oggetti non realizzati, oscuri e assenti, ma possibili. È probabilmente il campo di queste possibilità che si realizza nel sogno. Variazioni e aggiunte, dilatazioni e correzioni derivanti da una incertezza o insoddisfazione, deformazioni e ossessioni, prendono forma da una svalutazione della esperienza ordinaria e riportano in primo piano il concetto di irrealtà. Se è vero che le strutture del linguaggio riproducono i fondamenti della conoscenza, il sogno è un anacoluto che si inserisce di prepotenza nel discorso, lo prolunga e lo dilata nell'area dell'immaginario. Il sogno è dunque il luogo delle fascinazioni, ma anche delle contraddizioni e delle ambiguità che si manifestano mentre Morfeo, figlio del Sonno, assume le sembianze della persona sognata. Ci liberiamo dalla situazione angosciosa della «visibilità zero» man mano che prende forma il personaggio, labile protagonista delle vicende oniriche, il quale pretende di tenere insieme gli spezzoni di un mondo non-euclideo e nemmeno aristotelico, tenta di ricucire durante la notte le immagini che emergono da lontani tempi e che si sono smagliate durante il viaggio. Forse a causa di questi nomadi tentativi di organizzazione e arredamento, nel linguaggio metaforico il sogno viene abusivamente equiparato a «desiderio» e il mondo dei sogni è diventato per antonomasia il mondo dei desideri inappagati.

Il sogno è anche una sorta di museo di orrori, paure e ossessioni, dove si concentrano e si proiettano immagini di un mondo scomparso, il limbo (o l'inferno?) del non-vissuto dove ognuno di noi percorre gli spazi vuoti che precedono la nascita, dove si colloca il protagonista della favola di Jack London *Prima di Adamo*, l'uomo-scimmia che vive sugli alberi della foresta e si sente improvvisamente precipitare nel vuoto. È in questo paesaggio primordiale che possiamo trovare una giustificazione a esperienze che avvengono soltanto nel sogno e in nessun altro luogo. Il sogno sfugge anche alla misurazione del tempo che condiziona e ossessiona tutta l'esperienza reale. A differenza del cinematografo dove le immagini si svolgono necessariamente *al presente* e possono essere allontanate solo per mezzo di artifici (verbali o di flash-back), il sogno si svolge sempre *in un tempo lontano* che non è né passato né futuro, ma il punto dove il passato e il futuro si congiungono dall'altra parte del cerchio. L'idea della circolarità del tempo trova nel sogno la sua esemplificazione ottima.

La tentazione di attribuire ai sogni dei significati coerenti si scontrerà fatalmente con l'incoerenza, il disordine obiettivo, l'insensatezza o comunque con l'ignoranza di un fine da attribuire alla vicenda umana inserita in un disordine piú vasto e fondamentale. Dunque: il sogno come specchio del caos? In questa direzione l'attività del sogno potrebbe essere un relitto delle primitive organizzazioni della mente umana, la preistoria della cultura creatrice di miti e fantasie. Allora: il luogo dove avviene la elaborazione delle immagini superflue? Ogni individuo produce in continuazione immagini e fantasie che non utilizza, ma che gli consentono di partecipare al mondo del non-essere, al passato che lo ha preceduto e al futuro che lo seguirà. È ancora nel superfluo e nel gratuito che si colloca l'area della fascinazione, che non si può monetizzare ma che giustifica in senso ludico il percorso vitale di ogni individuo. Si domanda Bachelard: «L'uomo non è forse determinato dai suoi sogni ancor piú che dalle sue esperienze?» Ma di quale determinazione parla Bachelard?

Una quieta accettazione di ciò che accade nel sogno si accompagna molto spesso a una quasi-identificazione o a una compenetrazione del soggetto con le persone e gli oggetti che popolano il sogno. Perfino un antagonista del soggetto può improvvisamente, o lentamente, compenetrarsi in esso perché l'io soggettivo è «aperto», non è una monade chiusa come succede, nell'ambito del reale, all'io cosciente della propria unità. Per questo le immagini del sogno sono spesso disunite o sfocate, corrispondono alla visione periferica che ci permette di individuare le immagini circostanti anche quando il nostro sguardo è concentrato su un'area ristretta. Un grande palcoscenico nel quale lo spettatore mette a fuoco un «centro» della scena, ma «vede» e segue anche le azioni secondarie che si svolgono nella zona rimasta in ombra. Qualche volta sono proprio queste azioni periferiche che impressionano la memoria, che svolgono un altro discorso, piú lontano, piú sfumato, ma di orizzonti piú vasti. In questa «ottusità» il sogno si differenzia dalla «acutezza» del linguaggio, parola o scrittura, perché presenta varie cose che «accadono insieme» mentre il linguaggio descrive «una cosa per volta». È difficile pertanto stabilire quanto la scelta delle immagini, dopo i lunghi naufragi notturni, sia determinata dalla personalità di chi sogna o quanto sia invece dissociata dal soggetto.

Spesso, mentre sogno, alle mie spalle c'è un'ombra, una

figura indistinta che mi accompagna e qualche volta scompare non «in lontananza» ma «nella mia direzione», cioè *verso* e *dentro* di me e non *fuori*. Il mio io sognante è quindi un io multiplo, mobile, sfuggente, senza «sentimento di sé», un soggetto dalla personalità incerta, un io «sfumato ai bordi» che permette intrusioni di «altri» che in esso si rifugiano, ma anche di corpi estranei, oggetti e detriti vari. In questa indeterminazione del soggetto (del personaggio) possiamo intravedere un'altra conferma che il sogno porta nel microcosmo umano le immagini alterate di un caos vagabondo che proviene dal passato remoto e che ci precede sulla direttiva del futuro.

Probabilmente sovrintende alla formazione del sogno lo stesso disegno imprevedibile della fantasia. Le immagini associate per contiguità, lontane dagli statuti retorici della consecutio, ci darebbero una conferma di questa affinità elettiva fra sogno e invenzione. Omero, il capostipite dei poeti, era cieco, non aveva occhi per il mondo della luce e le sue immagini si componevano nel paesaggio sconfinato del sogno. E che altro sarebbe la «selva oscura» di Dante se non la selva nottura dei sogni? Nelle onerose strutture dei versi e dei canti questo materiale perde i suoi connotati propriamente onirici per organizzarsi in disegni che ci restituiscono per mezzo del linguaggio figurato un senso che va ben oltre la geografia del quotidiano. Secondo Novalis «tutto ciò che è visibile è connesso all'invisibile, quel che si ode a ciò che non si può udire, il sensibile all'insensibile. E forse, ciò che si pensa all'impensabile». Quali saranno dunque le parole piú adatte e neutrali per dare espressione ai sogni? Per raccontarli senza il rischio di incorrere nei rimorsi o nelle frustrazioni, per fissarne lo svolgimento e i percorsi nella loro fenomenologia spicciola, saranno sufficienti le parole povere del diario? Intanto potremo accontentarci di fissare una base per operazioni successive di organizzazione razionale o di letteratura. Non è proibito.

Per quanto le immagini del sogno si dispongano secondo associazioni aleatorie e asimmetriche, in qualche caso io stesso ho già utilizzato il materiale di un sogno per costruirvi intorno un racconto o alcune parti dei miei libri. Per fare questo ho dovuto procedere alla elaborazione del materiale, inventargli una struttura, dargli le scansioni dei tempi narrativi. Ma in qualche caso il sogno si articola da se stesso in una narrazione elementare o «genotesto», che si può inscrivere nell'ambito generico della fiaba e talora ci fa risalire a tempi ancora piú remoti, nella penombra del mito e delle fantasie primitive. Pericoli misteriosi, fughe nel buio, ricerca di un nascondiglio, trappole e trabocchetti, inseguimenti a perdifiato, agguati, caduta nei precipizi, smarrimento nella foresta, avventure dissociate ma sempre sull'orlo della catastrofe, appartengono alla preistoria del raccontare e, come il mito e la fiaba, non rispecchiano la realtà ma ne sono la parafrasi fantastica. Il sogno esprime una lontananza ansiosa che portiamo dentro di noi e che sfugge ai riti di geometrizzazione e misurazione del mondo che impone l'invenzione letteraria.

Nel raccontare gli eventi fantastici che si sprigionano dal sogno è difficile tuttavia eludere gli statuti culturali con l'ausilio dei quali siamo soliti affrontare ogni ordine di realtà. Ma il sogno rifiuta per sua natura questi strumenti, adotta macchine e finzioni che sfuggono a ogni schema raccomandato di lettura. C'è il rischio dunque di cadere, con la trascrizione, in un falso: le immagini del caos non sono raccontabili nel confortevole linguaggio comunicativo, né sarebbe il caso di mettersi a mimare il caos. Semmai la tentazione (e il rischio) è quella di ordinare i sogni secondo i propri modelli culturali. È ciò che mi sono sforzato di non fare anche se, l'obiezione è facile, le parole e le frasi sono mie e non di un altro, cosí come sono miei i sogni. Alla vigilia della morte, Cesare sogna di volare sopra le nubi e di stringere la mano a Giove. A tutti può succedere di volare in sogno sopra le nubi (e oggi succede normalmente anche nella realtà), ma il nostro approdo sarà diverso da quello di Cesare, diverso l'interlocutore, diversa la lettura finale. Il tentativo di spoliazione culturale, allontanare l'immagine dal soggetto e la parola dall'immagine, può ritorcersi ancora una volta in manierismo letterario. Insomma la descrizione degli eventi fantastici del sogno non può sfuggire del tutto alla ipoteca dei modelli espressivi del soggetto, nonostante e a dispetto delle intenzioni di sottrarvisi. Solo le marmotte, dopo i loro lunghi sonni, sono del tutto esenti da impacci culturali.

Vorrei tentare a questo punto un abbozzo di classificazione dei miei sogni a scopo di comfort e riscontro, secondo i temi e i toni che ricorrono con maggiore frequenza. Per evitare l'equivoco «letterario» di una suddivisione che della letteratura adotta in qualche misura i termini di riferimento, devo precisare che il supposto tema spesso è soltanto una «atmosfera alonata» intorno al tema o, se vogliamo, un «territorio tematico» sul quale crescono le immagini del sogno. Ad accrescere le difficoltà di una definizione e classificazione, si aggiunga che quasi mai i sogni hanno un inizio netto, il corrispettivo della prima pagina di un libro, e ancora piú raramente dispongono di un finale (il rifiuto dei modelli narrativi ce lo faceva prevedere). Non sempre procedono in una direzione precisa e la loro chiusura è quasi sempre accidentale e occasionale al punto che mai aggiunge senso, come succede con il finale delle normali narrazioni, ma spesso gliene sottrae in quanto ci impedisce di sapere «come va a finire». E la chiusura di solito avviene dispettosamente qualche istante prima che un evento atteso e imminente possa concludere il sogno in senso narrativo e significante. Questo tentativo di mettere ordine nei materiali secondo lo schema originario di «produzione», ha soltanto lo scopo di arginare la varietà e la casualità del repertorio.

Sogni della irrealtà. Tutti i sogni potrebbero rientrare in questa categoria. Qui si vogliono tuttavia indicare sopratutto quelli che si fondano totalmente su un rapporto irrisolto con il mondo reale, fuga verso un «altrove» ipotetico senza riscontri realistici, ma profondamente vissuto come esperienza diversa. Spesso questi sogni sono motivati da un desiderio o da uno spavento.

Sogni della locazione. Ricerca di luoghi da abitare, da prendere a prestito o «in locazione» e ricostruiti quasi sempre con frammenti di luoghi reali, di esperienza. È la ricerca del rifugio o del nascondiglio per i momenti di stanchezza, un riparo dal freddo, dalla pioggia e dal vento, al sicuro dai pericoli del mondo.

Sogni della commedia. Ognuno può mettere in scena nel teatrino del sogno la sua piccola e privata commedia, il proprio inferno-purgatorio-paradiso dove si ristabiliscono gli equilibri infranti, dove il soggetto esegue le sue vendette e esecuzioni, dove si ricostituisce una giustizia dispersa per goffaggine quotidiana, per impaccio verbale, per timori sociali. Una folla di amici e di sconosciuti, figure e ombre a forma di uomo e di donna, di umani intravisti per la strada o di personaggi famosi, si ritrovano qui sradicati dal loro contesto e collocati in un album di rapporti svincolati da ogni impegno. È questo il luogo della totale irresponsabilità, della piccola utopia sociale.

Sogni metasessuali. Erotismi estremi e improbabili che si svolgono quasi sempre senza la gravità della partecipazione. Sono sogni essenzialmente accademici, finzioni, tentativi al limite del gratuito, fughe talvolta patetiche da condizioni di sostanziale equilibrio.

Sogni della paura. Incubi e spaventi indotti da un malessere profondo e sempre rimosso. La paura del buio, del freddo. Camminare lungo sentieri accidentati e in discesa, verso catastrofi inevitabili e grottesche di cui si sente da lontano il ronzio sinistro. Sono i sogni della coatta discesa agli inferi.

Sogni della nudità. L'uomo nudo è una vittima designata della beffa sociale. Cosí nudo non può nemmeno entrare in un negozio e comprarsi un vestito, non può fuggire, può soltanto nascondersi. Il denudamento, al contrario, è esibizione, è infrazione di un tabú sociale e, secondo Derrida, metafora della verità.

Sogni della morte. La morte degli altri, dei parenti, degli amici, dei conoscenti si accompagna al timore della solitudine. Piú che i sentimenti, amore e dolore, questi sogni mettono in scena l'abbandono: se «gli altri» muoiono noi resteremo soli nel mondo. Sopravvivere diventerà una pena e una condanna.

Ci si abitua a convivere con i propri sogni, anche se spesso il rapporto può risultare molesto. Il sogno si introduce nella nostra mente di soppiatto, spesso è ingombrante e oppressivo, un «perturbatore della quiete» che arriva improvviso come un colpo di vento. Non è discreto e tempista come i personaggi dei romanzi, che arrivano sempre al momento giusto, e non si conforma nemmeno alla casualità ristretta degli incontri sulla strada.

Ma in compenso il sogno è anche lo spazio dove avvengono le compensazioni, le vendette, le giustizie sommarie, le ritorsioni e rivalse che tendono a riequilibrare una socialità insoddisfatta, dominata dalle convenzioni, dai tabú, dalle nequizie, dalle ingiustizie (anche dai desideri repressi, naturalmente). Si direbbe che l'apparato mentale produce il sogno come elemento di prevenzione e difesa. Ma se si esamina attentamente un campionario di sogni nel suo insieme, e ognuno può farlo in proprio, ci si accorgerà che questa è una lettura del fenomeno ancora parziale e del tutto insufficiente.

Oltre che un prolungamento abnorme della vita reale, il sogno esprime nel suo complesso l'esigenza di dare a questa una prospettiva oltre i suoi confini naturali, oltre i limiti fissati dal caso e dalla necessità biologica. Secondo accertamenti attendibili pare che il sogno sia presente ogni notte presso ogni individuo e svolga, anche se i tempi degli dèi sono lontani, una funzione di memoria archetipica (se non addirittura di programmazione del patrimonio genetico) perfino presso gli smemorati che cancellano ogni immagine al risveglio. Paradossalmente la scienza starebbe dalla parte di Jung piuttosto che da quella di Freud. È comprensibile dunque che anche nella prefigurazione di un «altrove» secondo le mappe tracciate dal desiderio di sopravvivenza futura, il sogno ci trasporti in zone impervie dove «memoria collettiva» e «immaginazione collettiva» trovano il loro simmetrico punto d'incontro. Il problema dell'aldilà non è una immaginazione pacifica e confortevole, e i cieli tempestosi dell'*Apocalisse* di Giovanni, il piú grande sogno di tutti i tempi, ne sono una fortissima riprova. Ma intanto il sogno, popolando di immagini e figure i nostri sonni, provvede anche a riscattarli dal buio e dal nulla, li sottrae all'orrore del vuoto.

Qualunque sia la loro origine e i meccanismi che presiedono alla loro formazione, i sogni rispondono a una esigenza metafisica, sono una finestra aperta sulla parte invisibile e sconosciuta dell'universo. Credo sia da ricercare in quest'area il significato ultimo che l'uomo assegna consciamente o inconsciamente al sogno. Lo avevano intuito gli antichi Greci: Hypnos, personificazione del Sonno e dio dell'Olimpo, è figlio della Notte e gemello di Thanatos con il quale abita nel mondo degli Inferi.

Nota.

Ho trascritto i sogni giorno per giorno, quasi sempre al mattino, velocemente e senza rileggere il testo. Ho rimesso mano a questa stesura all'inizio del 1980 sopratutto con l'intenzione di togliere le ripetizioni e per fare altre correzioni di forma. Ho adottato fin dal principio una forma sintetica e chiara il piú possibile, evitando le descrizioni troppo minute dei luoghi e delle atmosfere.

Nel rileggere i testi di seguito, mi accorgo ora che spesso i miei sogni sono composti di una «scena unica» mentre ho sempre avuto la sensazione, prima di procedere a questo lavoro di trascrizione, di fare sogni lunghi e complessi, qualche volta addirittura «a puntate». Ma probabilmente la parte che riaffiora con sufficiente concretezza nella memoria è soltanto un frammento del sogno intero. Qualche volta mi sono trovato al mattino di fronte alla sensazione vaga di un sogno, senza gli elementi indispensabili per la sua trascrizione: una persona, un ambiente, una figura, una voce ecc.

Mi sono fatto scrupolo di trascrivere tutti i sogni, si intende compatibilmente con il ricordo, anche quelli che dentro di me «disapprovavo» o che comunque non mi piacevano, e ho resistito alla tentazione di operare qualsiasi tipo di censura. Solo in rari casi ho aggiunto piú tardi qualche particolare che avevo omesso per dimenticanza nella prima stesura.

Non posso escludere in assoluto qualche slittamento per errore, al massimo di un giorno, nelle date segnate in testa ai sogni, ma in genere ho osservato con scrupolo l'impegno che mi ero imposto. A distanza mi viene il sospetto di avere «dimenticato» di nascosto qualche sogno nei periodi in cui l'impegno mi era venuto a noia.

Oltre alle date ho annotato il luogo, come si usa in qualsiasi diario. Per «Roma» si intende la casa dove risiedo abitualmente. «Settecamini» è la casa di campagna nei pressi di Orvieto dove trascorro insieme alla famiglia gran parte dei week-ends e circa un mese e mezzo d'estate. Per «Porto Santo Stefano» si intende la casa al mare dove trascorro in genere il mese di luglio insieme alla famiglia. Nel corso del 1979 ho fatto un viaggio a Parigi in automobile insieme a mia moglie Anna, che compare nei sogni con il suo nome, e ai due figli Pietro di quattordici anni e Giovanna di dodici. Ho annotato naturalmente i sogni fatti nella settimana di permanenza a Parigi e quelli fatti durante le soste nei viaggi di andata e di ritorno. Ho annotato anche i sogni fatti durante brevi viaggi in Bulgaria, in Calabria e in Emilia. Degli amici e conoscenti o comunque persone reali che ho sognato «senza il loro consenso», ho preferito mettere solo le iniziali.

Settecamini, 30-31 dicembre 1978

(La decisione di annotare i miei sogni giorno per giorno nel corso del 1979 incomincia a turbare i miei sonni e a condizionare i miei sogni con ventiquattro ore di anticipo).

Un sogno unico e muto è presente per tutta la notte. È come un quadro fisso sul quale avvengono solo poche «correzioni». Il quadro non è altro che la prima pagina di un quotidiano di cui non riesco a leggere la testata, con i titoli di notizie che non leggo per protesta, ma che provocano un mio commento: «Ecco un sogno che avrei preferito fare domani notte quando incomincerò a annotare i sogni». Lieve disappunto per questo sogno intempestivo e anche perché improvvisamente al posto della testata si forma una incrostazione per cui non potrei riconoscerla anche se mi mettessi d'impegno. Il testo delle notizie e i titoli cambiano in continuazione e ora al centro della pagina riesco a scorgere una immagine fotografica: è il muso di un aereo. L'immagine, piuttosto confusa, provoca un altro mio commento: «Speriamo che non sia l'aereo precipitato a Punta Raisi». (L'incidente è avvenuto realmente qualche giorno prima sul mare davanti all'aeroporto di Palermo). Non riesco a chiarire di quale aereo si tratti, l'immagine appare «fluida» come se fosse immersa nell'acqua e anche il resto della pagina sembra ora percorso da ondulazioni che deformano i caratteri dei titoli. Mi viene improvvisamente il sospetto che dietro la pagina *ci sia qualcuno*. Chi? Potrebbe essere un uomo con la pistola puntata verso di me. Con una matita buco la carta del giornale, ma pare che dietro non ci sia nessuno. Rinuncio a leggere le notizie e ora prende il sopravvento lo *stato di osservazione* del sogno nel sogno, al posto dell'immagine sempre piú sfocata. Questo stato dura a lungo, fino a quando i pensieri davanti alla pagina di giornale *si stancano* e si fanno sempre piú sfocati, come l'immagine. Alla fine emerge la sensazione che questo sogno è una «introduzione» ai sogni che mi appresto a registrare nel corso del nuovo anno.

Settecamini, 31 dicembre 1978 - 1° gennaio 1979

Nessun sogno, o comunque nessuna traccia di sogno nella memoria al risveglio.

(Il fatto è insolito e delude una attesa. Sogno quasi tutte le notti o meglio, dal momento che secondo i neurofisiologi sogniamo ogni notte, ricordo quasi sempre i sogni che faccio o, come minimo, *so* di avere sognato. Il fatto pare quasi un «dispetto» al programma di annotare i sogni, un piccolo sabotaggio ai miei piani, proprio all'inizio. I sogni, questa sembra essere la lezione, sono liberi di presentarsi a loro piacere e non ammettono di essere evocati a comando. Cosí, nella aspettativa del primo sogno, vengo punito e umiliato con il nulla).

Settecamini, 1-2 gennaio

Giú nella strada camminano rasentando il muro mucchi di stracci neri. Dentro ci sono uomini. Un primo mucchio di stracci prende fuoco improvvisamente, emana fumo, si affloscia sul marciapiede ridotto a poche scorie. Un altro mucchio di stracci prende fuoco, barcolla e poi si affloscia nella cunetta. Assisto a questi bruciamenti dalla finestra di una casa che si affaccia su una strada nei pressi di piazza di Spagna (potrebbe essere via della Mercede o via della Vite).

Passo a un'altra finestra di un'altra casa, ma *senza scendere nella strada*. Mi affaccio e si ripete la scena dei mucchi di stracci che camminano svelti lungo i muri, tutti in una unica direzione, verso piazza di Spagna. Dalla nuova finestra vedo piú da vicino questi uomini infagottati, le facce terrorizzate, impediti nella fuga dal cumulo di stracci neri. Un altro si incendia e brucia in un attimo dissolvendosi in una fumata. In mezzo alla strada ci sono carcasse di piccoli automezzi ancora fumanti (utilitarie, furgoncini, qualche motocicletta). Mi rendo conto che sta succedendo qualcosa di tragico, ma non riesco a capire *chi manovra il fuoco*. Scendo nella strada, cioè in piazza di Spagna, percorro svelto un breve tratto e mi accorgo che *anch'io sono coperto da un mucchio di stracci neri*. Dunque anch'io corro il rischio di finire in fumo. Poco piú in là del posteggio dei taxi, deserto, c'è l'ingresso a un locale sotterraneo simile a quelli della metropolitana. Scendo la scala inciampando negli stracci di cui sono coperto, arrivo in un ambiente sotterraneo stretto e lungo come un corridoio. Le pareti a fianco della scala e anche quelle dell'ambiente lungo sono completamente tappezzate di ombrelli neri. Normali ombrelli di misure diverse, con manici diversi, di legno di pelle e di plastica, ricurvi oppure dritti con un pomello come impugnatura. Mi libero dagli stracci e incomincio a cercare *il mio ombrello*: ha il manico ricurvo, è nero, è uguale alle migliaia di ombrelli neri che coprono le pareti. So già che non lo troverò. Non c'è nessuno che possa aiutarmi, laggiú in fondo sento delle voci ma nessuno mi aiuterà a cercare il mio ombrello. Mi impossesso di un altro ombrello, piú corto del mio, nero anche questo ma con il manico a pomo, lucido e nero. È piú pesante del mio, piú solido. Mi dico soddisfatto: È un bell'oggetto. Ora *devo ritornare a casa*. Salgo la scala verso l'esterno e qui vedo il mio ombrello appeso alla parete in mezzo agli altri. Quasi mi dispiace, ora che mi sono impossessato dell'altro. Potrei infilare dentro al mio l'ombrello rubato, sarebbe possibile perché è piú corto e ha il manico dritto (come se nella scelta avessi previsto l'eventualità del furto). Mentre sto per mettere in atto il furto ho un improvviso ripensamento, immagino la vergogna se venissi scoperto nell'atto di rubare un ombrello. A malincuore rinuncio. Sugli scalini c'è il mucchietto dei miei stracci neri che non ricordavo di avere deposto qui, e forse dovrei indossarli prima di uscire sulla piazza, ma ora il sogno «si spegne».

Settecamini, 2-3 gennaio

Cirillo e Metodio seduti a un tavolo uno a fianco dell'altro stanno scrivendo qualcosa, probabilmente tracciano sulla pergamena i caratteri cirillici. Hanno sulla testa l'aureola dei santi, non luminosa ma opaca come ferro, e sono stilizzati nelle loro figure e sopratutto statici e piatti come una miniatura antica (anche il sogno è del tutto statico). Che stiano disegnando i caratteri cirillici è una mia supposizione, la piú ovvia. Che quei due siano Cirillo e Metodio *lo so con certezza.*

(Ho avuto sotto gli occhi circa un mese fa una rivista russa stampata in caratteri cirillici, è l'unico possibile riferimento reale, per quanto esile. C'è tuttavia un errore nel sogno perché soltanto Cirillo inventò i caratteri cirillici e Metodio fu a fianco del fratello soltanto per la diffusione della nuova scrittura).

Settecamini, 3-4 gennaio

In cielo si muovono macchine volanti. Pericolo. Tocca a me il controllo perché *io sono dotato di radar*. Nascosto in un canneto sto osservando il cielo. Alle mie spalle Anna e i bambini. Dico: «Non vi allontanate, state vicini a me». Compare, sopra l'orizzonte, una macchina dal profilo squadrato, si libra minacciosa, emana raggi. Improvvisamente arriva nel cielo un'altra macchina accompagnata da un ronzío. Mia figlia dice: «Un elicottero». La macchina avanza, la osservo con attenzione. Non è un elicottero ma una barca volante. Una vera barca con una piccola elica fissata alla parte posteriore («al culo»). È da lí, dall'elica, che viene il ronzío. La barca passa sopra le nostre teste ronzando come una zanzara, si abbassa, risale e finalmente atterra rimbalzando su una superficie sterposa disseminata di alberelli filiformi (pioppi?). Ne scendono quattro giovani. Vista da vicino la barca appare dipinta a strisce rosse gialle e blu, colori lucenti. Mi avvicino zoppicando (?) e i giovani mi spiegano che la barca è fatta per galleggiare sull'acqua, ma quando viene investita dal vento si solleva in aria e vola. Ora la spingono verso una superficie d'acqua, un lago, che si stende davanti a noi. Salgono a bordo e la barca si allontana sull'acqua verdissima. Mi tocco il ginocchio rigido, non sapevo di essere zoppo. C'è ancora nell'aria il ronzío dell'elica, sempre piú leggero, e il sogno si spegne lentamente come in dissolvenza.

Settecamini, 4-5 gennaio

Un pilone basso e quadrato, di metallo grigio, emerge dal suolo in un esterno vicino a un porto. Sul pilone, con lettere pesanti e in rilievo, anch'esse di metallo grigio, una scritta: ARTLAUB. Il disegno delle lettere è leggermente stilizzato tanto da richiamarmi alla memoria i caratteri cirillici. Il cielo è grigio, di piombo.

Settecamini, 5-6 gennaio

La mansarda dove sono venuto a abitare mi piace. Ispeziono ogni angolo, ogni metro di pavimento, i soffitti di legno, le porte le finestre i mobili. Non so in quale città si trova, ma è la casa che conta, mi dico, non la città. E questa casa mi piace perché assomiglia a altre case che ho abitato (nei sogni). Ma ha qualche somiglianza anche con l'appartamento che abito attualmente a Roma. Mi avvicino alla finestra e mi affaccio per guardare fuori: una altezza da capogiro e laggiú in fondo invece di una strada scorre un fiume vorticoso che passa sotto la casa come se questa fosse costruita su un ponte.

Settecamini, 6-7 gennaio

(Un «sogno sabotaggio» nei confronti del mio progetto di registrazione).

Entro in un fabbricato anonimo e non posso leggere la targa all'ingresso perché è coperta da una tela di sacco. Percorro un corridoio, poi un altro corridoio, sembra che tutto il fabbricato sia composto da corridoi. Tutte le pareti sono tappezzate di tela di sacco in modo da coprire le eventuali porte o finestre o altro che possa servire di orientamento. Continuo a camminare, sperduto, in questo ambiente reso anonimo da qualcuno che non so individuare, ma che ha agito *contro di me*. Sono cosciente di sognare e mi dico: Ecco un sogno inutile, che non riuscirò mai a raccontare e che per di piú sembra una brutta imitazione di un racconto di Kafka. Che cosa ci può essere di peggio di un sogno «kafkiano»?

(Il sogno «kafkiano» si interrompe per dar luogo a un «vero sogno» nel quale subisco una umiliazione).

Arrivo in motoretta dentro un grande ambiente in penombra, con il pavimento in salita. Dall'ingresso fino alla parte piú alta del locale c'è una lunga fila di gente che si avvicina passo passo a un piccolo palcoscenico dal quale un uomo con il cappello in testa distribuisce qualcosa. Oggetti molto piccoli, neri. Percorro con la motoretta tutto l'ambiente in salita fiancheggiando la fila di gente, cioè mi comporto come quegli automobilisti villani che superano le file di macchine ferme per un ingorgo o un semaforo. Arrivato in testa alla fila di gente mi rendo conto di avere sbagliato e dico a un vigile che mi si avvicina: «Guardi che io non sono di quelli che...» Il vigile non mi lascia finire la frase e con un gesto sprezzante mi fa segno di rimettermi in fondo alla coda mentre dalla gente sale un brusio di protesta. Invece di rimettermi in coda esco sulla strada. All'ingresso del fabbricato c'è ora una targa di marmo rosa sulla quale leggo la scritta: IL PARALLELEPIPEDO. A questo punto penso di inserire la targa nel sogno precedente per dare un nome al fabbricato con i corridoi e rimediare cosí quel sogno che non mi piace. Entro di nuovo nel fabbricato e riesco a strappare in vari punti la tela di sacco, ma scopro soltanto pareti bianche.

Piú avanti nella notte faccio un altro sogno. Davanti alla casa di Settecamini un giovane pittore sta dipingendo una tela posata su un cavalletto. In alto, sull'angolo destro, leggo la firma KLIMT e mi rivolgo a un amico che mi sta alle spalle (A. G.) e gli dico: «Vedi? È un pittore importante». Sono fiero che sia venuto a dipingere davanti alla mia casa. Osservo la tela. Nella parte inferiore c'è un rettangolo fotografico: alcuni signori e signore stanno seduti su un muretto e ogni tanto guardano verso la parte alta della tela dove il pittore depone le sue pennellate di colore. I signori della fotografia commentano a bassa voce e ogni tanto si scansano temendo che cada dal pennello qualche schizzo di colore.

(Non mi pare che la parte dipinta del quadro visto nel sogno abbia qualche somiglianza con la pittura di Klimt. Nel suo insieme, compresa anche la parte fotografica, si direbbe piuttosto un quadro di Magritte).

Roma, 7-8 gennaio

La mattina mio figlio Pietro si lamenta di avere dormito male perché ha fatto un brutto sogno. Mi racconta di avere sognato una automobile che investiva un bambino schiacciandolo sull'asfalto. Sangue, urla, gente che accorre, risveglio. Durante la notte rifaccio lo stesso sogno di mio figlio cosí come mi è stato raccontato. Unica variante è l'ambientazione precisa (l'ultimo tratto della via Flaminia in prossimità di ponte Milvio) mentre nel sogno di mio figlio tutto avveniva in una strada alla quale non era in grado di dare un nome. Ho «rubato» un sogno a mio figlio.

Roma, 8-9 gennaio

Un luogo buio con fiamme e fumo che salgono da una conca profonda come il cratere di un vulcano. Voci e lamenti vengono dal basso. Scendo per un sentiero scosceso e finalmente mi affaccio all'orlo del cratere appoggiandomi a una ringhiera di ferro. Poco alla volta la vista si adatta al buio e incomincio a vedere meglio, a distinguere le numerose persone che stanno laggiú in fondo al cratere. C'è chi brucia come una candela, con la testa in fiamme, e corre a zig zag per liberarsi dal fuoco (G. E.), altri immersi in larghe pozze di fango (o di merda?), altri che portano pesi sulle spalle, grosse pietre, ruote di ferro (riconosco A. G. e I. C.). Molte le vittime e, qua e là, i carnefici che le tengono d'occhio. Tutti rossi questi ultimi, con la coda. Sono diavoli, non ci sono dubbi, e il luogo non è altro che l'Inferno, forse quello di Dante, ma in formato ridotto. Mi dispiace che la poca luce mi impedisca di riconoscere altri dannati che si agitano e fanno alti strepiti. Alcuni si avvicinano alla ringhiera, curvi sotto i loro fardelli, e mi fanno dei gesti, forse di saluto (riconosco A. D.). Ma no, non sono gesti di saluto, sono minacce. Improvvisamente si accende la luce e mi trovo in casa, nel mio studio, *sempre nel sogno*. Adesso devo soltanto svegliarmi perché il sogno è finito. Infatti mi sveglio.

(I soggetti «letterari» compaiono con maggiore frequenza da quando ho incominciato a prendere queste note. Prima erano molto piú rari. Il sogno dei corridoi tappezzati di tele di sacco veramente potrebbe rientrare in uno schema consueto se non fosse stato accompagnato da una precisa consapevolezza della situazione «kafkiana». Ma Cirillo e Metodio, Klimt e questo Inferno, mi paiono decisamente «falsi», dettati probabilmente da una sorta di «inquinamento» intellettuale recente. Devo aggiungere che l'A. G. di questo sogno non è lo stesso A. G. del sogno di Klimt. Entrambi esercitano la critica letteraria ma nell'inferno ho collocato l'A. G. che è anche poeta).

Roma, 9-10 gennaio

Un cardinale nell'abito di porpora mi fa segno di avvicinarmi. Esito, fingo di non capire, ma lui insiste. Mi avvicino di un passo, poi guardo il soffitto altissimo, a cupola. Ma non è una chiesa, è una casa, la casa del cardinale. Un altro cenno del cardinale. Noto sulla sua mano bianca un anello con brillante grandissimo. Mi avvicino ancora, forse dovrei inginocchiarmi, ma aspetto che sia lui a dirmelo. Il cardinale alza la mano e mi dà uno schiaffo sulla guancia. L'anello mi ferisce e il sangue scende subito abbondante. Mi tocco la ferita e poi mi guardo la mano tutta rossa.

Roma, 10-11 gennaio

È successo qualcosa di tragico sul fianco della collina, forse un incidente ferroviario. Mi arrampico in mezzo a sterpi secchi, con fatica. Ci sono dei corpi a terra, mutilati, bruciacchiati, poco sotto la linea della ferrovia sulla quale arriva ora solitario un vagone-merci e si ferma sul luogo dell'incidente. Il vagone sembra finto, di cartone. Dal groviglio di corpi mutilati si alzano due figure, una donna vestita di scuro, magra, il corpo giovane, con un mozzicone bruciacchiato al posto della testa, e si allontana insieme a un uomo, anch'esso con la testa ridotta a un carbone informe. Mi identifico con l'uomo, *sono io* l'uomo con la testa carbonizzata, e sollecito la donna a raggiungere un luogo non lontano dove *sta succedendo qualcosa che ci riguarda.* Il percorso non è lungo, ma faticoso e incerto per la condizione dei due che inciampano nei sassi, si sorreggono a vicenda camminando a zig-zag, perdono e ritrovano il sentiero tracciato su un terreno selvaggio. Finalmente i due arrivano (*arriviamo*) in una radura protetta da cespugli fitti e alti. La giovane donna senza testa si sdraia sull'erba, sfinita. Respira faticosamente, si capisce che è alla fine. Arriva un fosco personaggio con una scure in mano, una specie di contadino omacciuto, e senza perdere tempo vibra un colpo affondando la lama nel fianco della donna. Sembra risolto il problema di ucciderla, gesto che non avrebbe potuto realizzarsi se la donna moriva prima. Purtroppo *ora tocca a me*. A questo punto mi sveglio.

(Ecco che i sogni si prendono la rivincita, ritornano a essere duri e angosciosi «come prima». O almeno cosí pare).

Roma, 11-12 gennaio

Quasi una beffa piú che un sogno. Si svolge come la replica di uno spettacolo visto ieri sera al teatro Argentina, *Verso Damasco* di Strindberg, testo ossessivo, odissea della disperazione. Nel sonno rivedo tutto lo spettacolo che si srotola come un nastro piú o meno fedele, risento le battute senza però seguirne il senso, rivedo la scena e gli attori che si muovono sul palcoscenico. La sensazione è quella di un sogno lunghissimo, estenuante. Risaltano i dialoghi a due della prima parte con gli urli isterici degli attori e passano in secondo piano le immagini macabre (il frigorifero pieno di arti umani, la cassa da morto del finale). Ma nel sogno lo svolgimento dello spettacolo ha un andamento abnorme, procede per un tratto, poi riprende da un punto qualsiasi di quel tratto, le scene si susseguono per sovrapposizioni, senza nesso fra loro ma con apparente naturalezza come se lo spettacolo seguisse montaggio e ritmi che appartengono a *un altro spettacolo che gli sta dietro*, mentre la facciata è composta con i materiali autentici.

(Un sogno nel complesso «inutile», vuoto, e deforme rispetto al modello che lo ha ispirato. E molta stanchezza e noia di rivedere, nei lunghi tempi del sogno, uno spettacolo già visto).

Roma, 12-13 gennaio

Un venditore si è introdotto in casa e vuole convincermi a comprare un nuovo recipiente per i pasti del cane, cioè della cagna Scilla. Il recipiente è già lí sul pavimento della cucina, è grigio e lucido, molto grande e poco profondo. Dico che non va, preferisco quello vecchio, piú stretto e profondo. Per convincermi il venditore mi fa vedere qualcosa al centro del nuovo recipiente, una specie di botola meccanica che serve a fare scomparire gli avanzi del cibo. Non ne posso piú di questo tale che si è introdotto in casa mia e cerco di allontanarlo prendendolo per un braccio. Ma mi accorgo che il suo corpo non ha consistenza, la mia mano *attraversa* il suo braccio come se fosse fatto di aria. Ora mi rendo conto che è entrato in casa mia senza suonare il campanello, senza che io gli abbia aperto la porta. Ho paura. Scappo al piano di sopra, vado in terrazza per chiamare aiuto ma mi accorgo che *non ho voce*. Mi sveglio improvvisamente.

Roma, 13-14 gennaio

È successo qualcosa nel sonno, non so nemmeno se posso chiamarlo un sogno. In realtà si tratta di un sogno senza immagine, per cosí dire «a video spento». Nel sonno ho sentito una voce che mi comunicava un messaggio in tono grave e perentorio, niente altro, al buio. La voce era di uomo, netta ma nello stesso tempo lontana e impersonale. Il sogno insomma *era soltanto una voce* e proveniva piú che da una persona (assente), da una lontananza. Il messaggio era composto di una sola parola: «Indiscriminatamente». Niente di piú. Al vuoto di immagine si aggiunge il vuoto di senso.

(Censura visiva? Incidente «tecnico»? Forse il rapporto con i miei sogni tende a peggiorare).

Roma, 14-15 gennaio

È imminente la glaciazione terrestre e tutta la popolazione delle zone fredde sta migrando verso le zone temperate. Ho in mano un foglio di carta intestata. Non leggo il testo, che evidentemente do per scontato. Osservo invece con pignoleria la intestazione in alto al centro del foglio, stampata in caratteri Bodoni chiari: CAUTION. Sotto l'intestazione poche righe dattiloscritte o ciclostilate che probabilmente riproducono l'ordine di evacuazione della zona in cui mi trovo. Orizzonte chiuso da montagne nere. La strada in fondo alla valle è percorsa da una colonna di gente infagottata, vista da lontano sembra una fila di formiche, che trascina carretti a mano o porta sulle spalle materassi, valige, pacchi. Una immagine antica, da Medioevo. Ora sono certo che questa gente ha sbagliato direzione e invece che a Sud si sta dirigendo verso il Nord. Vorrei mettere al corrente qualcuno dell'errore, ma non so a chi rivolgermi. Cosí mi vado a mettere anch'io in colonna e cammino insieme a tutti gli altri verso il Nord, al buio, sotto un cielo nero e in una atmosfera fumosa e fredda, con un grave senso di oppressione.

(Credo di ricordare che alla fine del sogno «non condividevo» la mia decisione di incolonnarmi nella direzione sbagliata. Ma non è la prima volta che mi scopro nel sogno un'anima doppia che mi spinge a comportamenti riprovevoli o ambigui).

Roma, 16-17 gennaio

Il grande e infame Pidocchio entra in casa con aria prepotente, sporgendo la pancia. Sta in piedi come un uomo e la sua «faccia» è all'altezza della mia. Non parla, ma si aggira nella casa come se cercasse qualcuno. Ci sono io, ma sembra che cerchi qualcun altro. È goffo, urta contro i mobili, sputa sul pavimento, sporca tutto con bave filamentose, passando mi urta con la spalla. Sono incerto se cacciarlo, anche perché non sono sicuro che la casa dove mi trovo sia la mia. Forse mi conviene andar via e lasciarlo padrone dello spazio. Non so decidermi a uscire, sembra che qualcosa mi trattenga. Cerco di sfuggire al Pidocchio che ora mi segue, mi si avvicina e mi dà delle spallate. Mi viene la tentazione di reagire e di aggredirlo, ma sono debolissimo, riesco appena a tenermi in piedi. Sono alla mercé di questo mostro che continua a inseguirmi minaccioso. Non riesco a trovare un modo per uscire dalla casa, ma lentamente riesco a uscire da questo sogno senza tuttavia svegliarmi, rientro in un sonno senza sogni, immerso in una vaga e indolore «coscienza sognante».

Roma, 17-18 gennaio

Nonostante gli incitamenti e le spinte di un gruppetto di persone che non conosco, rifiuto con decisione di accoppiarmi con una grossa tartaruga che mi hanno portato in casa. Un uomo con i capelli bianchi mi porge un barattolo di colla (Vinavil) dicendo che forse mi può essere di aiuto. Rifiuto e getto a terra il barattolo. Mi ritrovo, non so come, su una altalena, con l'uomo dai capelli bianchi che mi dà le spinte e mi offre una sigaretta mentre continuo a dondolarmi felice, infelice, felice, infelice...

Roma, 18-19 gennaio

Primo sogno. Ho acquistato una Mercedes vecchio modello, credo Anni Cinquanta, con i fari esterni e i parafanghi sagomati sulle ruote. Verde chiaro. Sono sceso dalla macchina insieme a Anna e ai figli su uno spiazzo di ghiaia nel quale convergono tre strade di terra battuta. Faccio notare a Anna che una delle tre è piú polverosa delle altre. Tutte e tre sono in leggera salita verso la collina. Non so, non sappiamo che strada prendere. Mi avvicino alla macchina e incomincio a scrostare con un cacciavite alcune «bolle» sotto le quali si è formata la ruggine. Uso il cacciavite come un bisturi, sto «curando» la vecchia Mercedes come una malata invece di decidere quale strada prendere.

Secondo sogno. Vado a piazza Navona a comprare i giornali. È molto presto, quasi buio ancora. Mi accompagna il cane. Ma mi accorgo che resta indietro, ogni tanto si accuccia sulle zampe posteriori come se non lo reggessero. Ho il sospetto che finga di avere i reumatismi come ha fatto qualche volta in campagna per essere portato in città con noi. Ma qui siamo in città e non c'è ragione di fingere. E se finge che cosa vuole ottenere?

Terzo sogno. Entro nella libreria «Shakespeare and Company» nella strada dove abito. È quasi buio all'interno e non riesco a leggere i titoli dei libri. La giovane libraia si rende conto del mio disagio e apre le braccia come per dire che non può farci niente. Esco dalla libreria e faccio un ultimo tentativo di leggere i titoli dei libri in vetrina, senza risultato. Mi allontano deluso.

(Tre sogni, o tre «frammenti», che riflettono probabilmente una flessione negativa nell'impegno di registrazione).

Roma, 19-20 gennaio

Un mucchio di carta stampata completamente fradicia gettata alla rinfusa su un pavimento, come salvata da una alluvione. Mi preoccupo per le parole «gonfiate dall'umidità», dovrò stenderle al sole per farle asciugare come dei panni. La stanza è nuda, senza mobili, con il pavimento di mattoni leggermente avvallato al centro, le finestre alte dalle quali non si vede fuori. Non devo perdere tempo altrimenti le parole bagnate potrebbero «andare a male».

Roma, 20-21 gennaio

Il sogno è ambientato nella stazione ferroviaria di Parma. Sto lavorando a riempire di gas infiammabile sei sacconi di tela cerata. Riempito un saccone ne avvito il coperchietto di alluminio. I sacconi vengono presi da un inserviente e caricati su un treno. C'è in corso una guerra e probabilmente questo gas infiammabile serve per operazioni belliche. Mi lamento perché, come al solito, si fanno le cose malamente. Infatti questi sacconi non sono perfettamente impermeabili e c'è il rischio che arrivino a destinazione vuoti. Improvvisamente il sogno si sposta in altro ambiente, una piazzetta di piccola città o di paese. In mezzo alla piazza sono disposti alcuni dei sacconi pieni di gas e su ogni saccone è seduto a gambe incrociate un uomo in tuta scura. Uno di questi estrae un fiammifero e lo accende. Una fiammata improvvisa consuma l'uomo e il saccone. Resta sul selciato una traccia nera e niente altro. Un altro uomo accende un altro fiammifero. Seconda fiammata che consuma l'uomo e il saccone. Una terza fiammata e mi sveglio.

Roma, 21-22 gennaio

Il sogno ha un titolo, *Terrorismo*, e un sottofondo musicale vagamente hollywoodiano che sconcorda con l'argomento. (Non è la prima volta che un sogno mi si presenta con un titolo, ma il sottofondo musicale è una novità). C'è un ambiente, una casa molto articolata, corridoi stanze magazzini ripostigli, molte porte e finestre dalle quali entrano e escono i terroristi. Questa casa *l'ho trovata io*, ma i terroristi la invadono senza curarsi di me. Apro la porta di un magazzino e vedo sul pavimento due tori uccisi dai terroristi, le gambe stroncate al ginocchio con l'accetta. Non c'è sangue sul pavimento e la pelle dei due animali non ha peli, come se fosse stata rasata accuratamente. Disapprovo la loro uccisione, ma non faccio in tempo a protestare, devo rifugiarmi in una stanza per non essere investito da due terroristi che introducono nel corridoio con grande fracasso dei lunghi tavoloni di legno. Anche da altre stanze vengono rumori. «Questi terroristi operano allo scoperto», dico a un ragazzo che si affaccia sul corridoio. Ma questo mi mostra una stella rossa cucita al giubbotto sotto l'ascella e passa subito a aiutare i terroristi che trasportano i tavoloni. Mi rifugio in una delle stanze che si aprono sul corridoio e mi trovo a tu per tu con una giovane terrorista. Capisco subito che «ci sta» e mi affretto a chiudere una finestra e gli scuretti per fare buio mentre la ragazza chiude l'altra finestra. Buio completo. Non si vede niente, non trovo piú la ragazza. Ogni tanto sento il suo fiato sulla mia faccia, ma non riesco a raggiungerla. Temo di essere caduto in una trappola. Si sente da fuori una esplosione violenta. Mi sveglio di soprassalto.

(La mattina dopo mi informo perché sospetto di essermi svegliato per una esplosione vera, invece nessuno l'ha sentita, non è successo niente).

Roma, 23-24 gennaio

Il cane abbaia in terrazza al buio. Vado a aprire la portafinestra e lo faccio entrare nel soggiorno in penombra. Vicino all'altra portafinestra sento uno strano ansimare che sembra venire da fuori. Mi faccio coraggio e mi avvicino, allungo la mano per aprire e al posto della maniglia tocco una cosa molle e viscida che scende fino al pavimento. Mi ritraggo spaventato e nella penombra vedo un serpente lungo e flaccido. È lui che ansima paurosamente.

Roma, 24-25 gennaio

Il titolo del sogno è: *Psicanalisi dei rumori*. A differenza di altre volte non vedo la scritta, ma *so* che questo è il titolo. Lo psicanalista è un uomo con gli occhiali, magro, capelli neri e pelle scura. Sta seduto su una sedia nell'angolo di una stanza senza mobili. Mi avvicino e gli do una piccola scatola di latta con tanti buchini. L'uomo si mette la scatola contro l'orecchio e ascolta a lungo chiudendo gli occhi. Alla fine sentenzia: «Mancanza d'amore». Gli chiedo come si possa rimediare a questa mancanza e lui dice: «Latte, molto latte».

Roma, 25-26 gennaio

Mi alzo dal letto e vado alla finestra per aprirla, ma la maniglia si stacca e mi resta in mano. Mi accorgo che il legno della finestra è consumato all'interno e ha conservata intatta solo la scorza esteriore. Se premo un dito sul legno, affonda in una materia spugnosa, molle e umida, di colore scuro. Mi avvicino a un cassettone della camera e scopro che anche il legno del mobile è marcito all'interno. Provo ancora a premere il dito e di nuovo la superficie cede e il dito penetra nel legno marcio. Faccio un rapido controllo e mi accorgo che *tutti i mobili sono colpiti dalla stessa malattia.* Anche le porte. Vado in bagno preoccupato, mi guardo allo specchio. Sono pallidissimo. Premo un dito sulla mia guancia e mi accorgo con orrore che il dito affonda anche qui come nel legno.

Roma, 26-27 gennaio

Scopro che il mio metro di acciaio brunito serve per misurare il tempo. Posso misurare il giorno, il tempo diurno, ma non quello della notte perché il metro è nero. Mi dico: È finito il tempo degli orologi.

Settecamini, 27-28 gennaio

Ancora una volta i ladri sono venuti a rubare nella casa di Roma. Faccio una ispezione attenta e devo constatare che *hanno rubato le stesse cose che hanno rubato l'altra volta.* Accetto la contraddizione senza difficoltà, contrariato soprattutto da questa nuova visita dei ladri.

Roma, 29-30 gennaio

Sono seduto nella platea di un teatro. Ogni spettatore tiene in mano uno spago collegato con uno degli attori che stanno recitando. Anch'io ho in mano il mio spago collegato con una attrice giovane e ogni tanto do un leggero strappo per «correggere» la sua recitazione. Gli altri spettatori fanno altrettanto.

Roma, 30-31 gennaio

C'è un'area romana che da anni frequento in sogno, a lunghi intervalli di tempo, ma ritrovandola sempre uguale come se esistesse nella realtà. È un avvallamento lastricato di cubetti di pietra a ridosso di un ponte sul Tevere, contornato da case antiche e basse che si aprono su due strade e una delle due potrebbe essere via Giulia, ma non è, e l'altra una stradina stretta e piú povera. Le case sono tutte di sagoma asimmetrica, facciate con il tetto in spiovente laterale, finestre alte e finestre basse, finestrini non allineati, portoni su un lato anziché al centro. Nel piano terra del fabbricato centrale fra le due strade ci sono due ristoranti-bar con tavolini all'aperto, molto discreti, frequentati da gente silenziosa. Qui non passano automobili, mi piace arrivare a piedi, sedermi a un tavolino e fumare una sigaretta o bere qualcosa. Qui posso sperare di trovare anche degli amici. Poco lontano da questo luogo c'è una stradina trasversale dove una donna vende quadri d'autore sul marciapiede (riconosco un De Chirico). A terra c'è un mobiletto abbandonato, non appartiene alla donna che vende i quadri, una specie di comodino con uno sportello di vetro smerigliato che apro per nascondervi un rotolo di banconote che portano stampato nell'ovale un disegno di De Chirico. Un milione, forse di piú. Dopo avere nascosto le banconote mi affido a una guida con il berretto a visiera che mi sta aspettando all'angolo della stradina. Entriamo in una galleria sotterranea, scoperta di recente, che passa sotto al Tevere. L'ingresso della galleria mi sorprende per la quantità enorme di statue romane disposte nelle nicchie della parete in vari ordini di altezza. Esprimo la mia meraviglia e ammirazione, ma mi accorgo presto che le statue sono tutte di plastica. Mi vergogno di essere caduto in un errore cosí grossolano e procedo lungo la galleria che ora assume l'aspetto di un lungo corridoio con il soffitto a volta, molto alto, decorato di stucchi e affreschi. Saranno autentici o falsi anche questi? Ai lati continua l'esposizione delle statue romane, sempre finte, disposte dentro nicchie luccicanti di dorature. La galleria prosegue con leggere curve e anche qualche pendenza, come una strada. Nonostante la falsità delle statue la scoperta della galleria è in sé strabiliante non fosse altro per le dimensioni grandiose. Esco finalmente alla luce insieme alla mia guida attraverso una porticina seminascosta che dà su un giardinetto. La guida mi mostra ora sul greto del fiume una superficie di mattoni levigata dallo scorrere dell'acqua e in parte coperta di sabbia: è il «sopra» della galleria. Ritorno nella stradina dove ho nascosto i denari. Non c'è piú il mobiletto. Sono costernato. Trovo una donna, non quella di prima, all'angolo di una strada vicino a un mucchio di masserizie e fra queste scorgo il mobiletto dove ho nascosto le banconote. Lo apro, ma è vuoto. Non dico niente, so bene che sarebbe inutile. Devo rassegnarmi alla perdita del denaro anche se la cosa mi procura una grave pena. Mi aggiro per le strade senza meta con la nebulosa sensazione che *sto aspettando di svegliarmi*.

Settecamini, 3-4 febbraio

Deserto del Sahara. Sono sorpreso che non sia caldo come si dice. Non sento caldo, ma sto sudando in abbondanza.

Sudore freddo. Un aereo arriva nel cielo, fa un giro in tondo disegnando una *O* (o uno zero?) e poi se ne va. Sono solo, ma laggiú all'orizzonte, su uno schermo lontano, vedo le immagini del film *Casablanca*. Cammino verso lo schermo. Quando sarò arrivato *entrerò nel film*.

Roma, 5-6 febbraio

Sogno di essere addormentato nel mio letto e di toccarmi la testa completamente pelata, poi il mento con la barba a pizzo. Ma allora *non sono io*. Chi sono? Lenin?

Roma, 8-9 febbraio

Cammino solo nella nebbia fittissima su un terreno molle per l'umidità. Lampi improvvisi oltre la cortina di nebbia diffondono a tratti una luce rossa, e subito la nebbia ridiventa opaca e bianca. Se non fossero silenziosi questi lampi potrebbero essere bombe, ma non sono. Luci di un aeroporto, forse, ma non si sente rumore di aerei. Segnalazioni, ma sono irregolari, si accendono ora davanti a me ora alle mie spalle, ora piú vicino ora piú lontano. Ho la sensazione di un pericolo imminente, ma non so che cosa può essere e perciò non so come difendermi. L'unica cosa che desidero disperatamente è un rifugio, una casa calda, ma anche un teatro, un cinematografo, un fienile, una automobile, un treno, una grotta, un posto riparato con qualcosa di caldo da toccare. Ho freddo, ho paura. Mi sembra di vedere ombre di uomini e tento di nascondermi *dietro la nebbia* come ci si nasconde dietro a un muro o al tronco di un albero. Altri lampi rossi si accendono e si spengono. Nella luce improvvisa sono sicuro di aver visto le sagome di due uomini. Resto immobile e mi guardo attorno per trovare una direzione e darmi alla fuga. Ma a un tratto qualcuno mi tocca da dietro con una mano. Con i capelli ritti per lo spavento mi volto e non c'è nessuno. Chi mi ha toccato? Incomincio a correre senza sapere dove, ma dopo pochi passi mi arresto perché a terra c'è il cadavere di un uomo aperto in due come un animale macellato. Urlo di orrore e mi sveglio.

Roma, 9-10 febbraio

Una piazza che potrebbe essere piazza San Pietro, ma al posto della cattedrale c'è un palazzone scuro con poche e grandi finestre. È il crepuscolo, c'è gente sulla scalinata in attesa forse di un discorso del papa. Fra la gente ci sono due giovani russi in divisa, sembrano cadetti di una accademia militare. Uno dei due si avvicina a una donna e le dà un calcio nelle gambe. La donna guarda con stupore il russo in divisa. L'altro giovane prende a calci un'altra donna. La gente intorno mormora, protesta, ma senza clamore. Si diffonde un certo nervosismo, ma nessuno osa protestare apertamente contro i due russi che continuano a dare calci, solo alle donne. Mi sforzo di capire che senso abbia un simile comportamento e noto che uno dei due non ha piú il berretto in testa. Mi accorgo con stupore che il russo senza berretto *sono io*.

(Ecco un altro sogno che «disapprovo», che avrei censurato volentieri).

Roma, 10-11 febbraio

Vicino a piazzale Clodio, addossato a una parete di roccia, c'è un ascensore esterno con le pulegge in vista, le funi d'acciaio, le guide, gli ingranaggi bene oliati, per salire a Monte Mario. Nell'ascensore può entrare anche una automobile, è piú un montacarichi che un ascensore. Una ragazza con accento americano mi dice che vuole fare un cambio, la sua Porsche quasi nuova in cambio della vecchia Alfa Romeo di A. M. Perché ne parla con me? Dovrei dirlo io a A. M. che è mio amico. Va bene. A Monte Mario si può salire quando si vuole, uno fa come gli pare. L'ascensore sale silenzioso. La ragazza mi trascina in un angolo buio e incomincia a spogliarsi. «Cosí in piedi?» «Preferisco in piedi», dice la ragazza. Decido che non salirò a Monte Mario ma andrò in America lasciando «in sospeso» il rapporto con la ragazza.

Roma, 11-12 febbraio

Un nuovo sistema per spedire le lettere. Apro la finestra, deposito la busta chiusa su una corrente d'aria e la lettera parte per la sua destinazione. È una bella invenzione, finalmente hanno inventato una cosa utile. Richiudo la finestra e mi metto a scrivere un'altra lettera.

(È un sogno senza dimensioni, senza spazio, di brevissima durata e poi di nuovo il buio del sonno).

Roma, 12-13 febbraio

Una strada di Roma nei pressi di San Salvatore in Lauro. Ai lati della strada, sui due marciapiedi, giganteschi vasi di opaline colmi di ciprie colorate. La gente passa per la strada, qualcuno toglie il coperchio a uno dei vasi e, con un grande piumino, si cosparge di cipria.

Secondo sogno. Mi trovo nel sottopassaggio del Tritone e salgo la scala per raggiungere un bar sulla via Crispi. Esco sulla strada e da qui salgo un'altra scala, poi scendo, salgo di nuovo scale sempre diverse, mi perdo in un labirinto di scale senza trovare il bar.

Settecamini, 13-14 febbraio

Devo andare a un appuntamento in un luogo di cui conosco solo il nome, che ho scritto su un pezzo di carta. Il mio mezzo di trasporto è un veicolo informe, di materia molle, gommosa, di aspetto molto primitivo. Si distinguono sí e no le ruote, impastate con il corpo del veicolo. Non so nemmeno se devo cavalcarlo o entrarvi dentro. Mi rivolgo a un uomo seminudo e gli mostro il pezzo di carta perché mi indichi la strada. L'uomo non parla, ma a sua volta mi consegna un foglietto con una somma di piccoli numeri, forse i chilometri che devo percorrere. Mi guardo attorno e vedo solo colline di terra nera e brulla, senza un albero, senza una casa. Mi viene il sospetto di *trovarmi nella preistoria*, ma la cosa non mi sconvolge. Finalmente monto in groppa al mio veicolo «molle» e parto a grande velocità sfiorando il terreno.

(La carta non può essere preistorica, ma mi accorgo della incongruenza solo al risveglio).

Settecamini, 17-18 febbraio

Un prato verde sterminato. Io in mezzo al prato. Nel cielo, sopra di me, una piattaforma nera sospesa che da un momento all'altro potrebbe cadermi addosso e schiacciarmi. Mi sposto sul prato e la piattaforma si sposta in modo da trovarsi sempre sopra la mia testa. Non c'è un luogo dove possa ripararmi o nascondermi. Non ho possibilità di scampo. Il cielo è luminoso, c'è un gran silenzio, e la piattaforma incombe sempre.

(È un sogno angoscioso che si ripete, identico, a distanza di anni).

Settecamini, 18-19 febbraio

La «testa del serpente» si affaccia dietro l'angolo di un palazzo, spunta sopra il tetto di una casa, fra gli alberi di Villa Borghese. È una testa evanescente come una nuvola, verdastra, ha gli occhiali e gli stessi tratti del viso di un famoso uomo politico italiano. Si vede, si riconosce, eppure nessuno reagisce, nessuno parla. Sono preoccupato e scandalizzato. È lui il capo della mafia, è lui che ha organizzato le trame nere e poi il terrorismo, c'è sempre lui dietro a ogni scandalo, e adesso vuole diventare *presidente di tutto*. Mi affaccio a un ponte sul Tevere e questa volta vedo la testa del serpente che scende tirandosi dietro un corpo molle che occupa tutto il letto del fiume.

(Mi pare che avvenga in questo sogno il processo inverso della metaforizzazione: una metafora viene qui tradotta in una immagine «reale» all'interno di un sogno).

Roma, 19-20 febbraio

Un vento violentissimo spazza le strade della città. Stranamente le case non hanno né porte né finestre e quindi non posso trovare un rifugio. Ogni tanto una ventata piú violenta mi solleva dal suolo e mi porta un tratto piú in là. La strada dove mi trovo sembra via del Tritone, ma è difficile riconoscerla perché le case senza porte e finestre, e senza negozi, cieche, hanno perduto la loro «faccia». Una ventata violentissima mi sbatte contro un muro. Sento dal basso, da piazza Colonna, il sibilo sinistro di una nuova ventata che sta arrivando. Non mi resta che stendermi al suolo e aspettare che passi. Cosí faccio, poi mi alzo di nuovo perché devo assolutamente trovare anch'io una casa dove rifugiarmi e allora cancellerò le porte e le finestre come hanno fatto *gli altri*. Infatti *so* che le case non sono disabitate, ma che gli abitanti si sono murati dentro per ripararsi dal vento. Sono l'unico abitante di Roma rimasto nella strada a combattere con il vento.

(Via del Tritone ritorna spesso nei miei sogni. Per tre o quattro anni ho abitato in questa strada).

Roma, 22-23 febbraio

Incontro Soraya in un bar squallido della periferia romana. Un cliente la riconosce e le fa grandi inchini. La guardo, ha la pelle traslucida, acquosa, la trovo piuttosto ripugnante. Mi dice che è ritornata con il marito, un modesto avvocato che abita in quella zona. La approvo senza partecipare gran che alla vicenda. Poi la saluto e esco dal bar. Nella strada c'è molta luce, l'aria è pulita, fresca. Sono molto contento, fischietto una canzone infilandomi le mani in tasca. Mi accorgo che le tasche sono piene d'acqua. Mi fermo. Sono di nuovo nel bar di fronte a Soraya. Cerco di uscire, muovo le gambe ma sono sempre lí, con le tasche piene d'acqua.

Roma, 23-24 febbraio

«È uno dei famosi buchi neri». Rispondo: «Sarà un buco nero ma io non lo vedo». «I buchi neri non si vedono, quando ci sei dentro non vedi piú niente». «Ci siamo dentro?» «Direi di sí, direi proprio di sí». «Allora è la fine». «Anche il principio, perché alla fine ricomincia tutto». Solo ora localizzo il dialogo che avviene in via del Tritone fra me e I. C. mentre camminiamo verso piazza Barberini. «Secondo te ci siamo proprio finiti dentro?» domando. «Là c'è un vigile, possiamo domandarlo a lui». Camminiamo verso il vigile vestito di nero.

(Non ricordo con esattezza le parole del dialogo che ho trascritto con qualche approssimazione).

Roma, 24-25 febbraio

Su un palchetto in piazza del Popolo c'è il vecchio De Chirico in piedi, con le braccia incrociate. Salgo i pochi scalini e De Chirico mi appunta una medaglia sul petto. Con la spilla mi buca la pelle, ma io soffro in silenzio. Scendo il palchetto e mi guardo la camicia sulla quale è comparsa una macchia di sangue.

Passo «in dissolvenza» a un secondo sogno. Sto girando intorno al monumento di Marco Aurelio nella piazza del Campidoglio e cerco di convincerlo a scendere dal suo cavallo. «Vieni a fare due passi» gli dico. Marco Aurelio non si muove. «Se vieni ti faccio conoscere Einstein», gli dico ancora, barando. So benissimo che Einstein è morto. Marco Aurelio è sempre immobile sul suo cavallo, sul piedistallo. Compro una pizzetta da un carretto e gliela faccio vedere. Niente, Marco Aurelio non scende. Mi siedo sul piedistallo e mangio la pizzetta. Sento sopra la mia testa improvviso uno sternuto. Non capisco se è stato lui o il cavallo. Fa caldo, vado a sedermi piú in là all'ombra di un palazzo.

Roma, 25-26 febbraio

Arrampicato in cima a una scala, con un martello da muratore stacco la crosta di spesso intonaco che copre i marmi del Partenone. Sull'intonaco ci sono delle pitture, ma non sono originali e perciò bisogna toglierle insieme all'intonaco. Scopro che il marmo sotto l'intonaco è ruvido, scalpellato rozzamente apposta per poi applicarvi l'intonaco. Allora sia l'intonaco che le pitture non sono posteriori, sono originali. Ero sicuro di trovare il marmo levigato o fregiato di bassorilievi, e mi sono sbagliato. Temo di avere fatto un guasto gravissimo.

Il sogno prosegue piú tardi nella zona archeologica di una

città che potrebbe essere Roma. Dalla finestra di un appartamento si inquadra una pittura sulla parete di un monumento antico, greco o romano. La pittura raffigura una donna che beve a una fonte. Oppure la donna è reale e sta lí davanti alla parete dipinta? La fonte in ogni caso è dipinta.

Roma, 26-27 febbraio

La peste a Roma. In via del Tritone affollata, ogni tanto un passante cade a terra fulminato e resta lí senza che nessuno si curi di portare via il cadavere. In via Due Macelli ci sono sui marciapiedi dei cadaveri disseccati, faccio piccole deviazioni per non calpestarli. Mi pare di riconoscere in uno di questi l'attore N. M. e mi dispiace, anche se mi era antipatico. Nella vetrina di un negozio c'è un cadavere disseccato in mezzo alle camicie esposte. Passano poche automobili e mi dico: «Ecco le anime delle tartarughe». In piazza di Spagna c'è un albero carico di fichi maturi. Allungo la mano, ma poi ci ripenso temendo che li abbia toccati qualche appestato. Cerco di trattenere il respiro per timore dei bacilli che volano nell'aria, proseguo evitando i cadaveri e tenendomi a una certa distanza anche dai pochi vivi che incontro sulla strada.

(Ancora via del Tritone, diventata ormai un palcoscenico abituale per molti miei sogni).

Roma, 27-28 febbraio

Piazza Esedra è occupata per metà dai corpi delle vittime di un incidente aereo. Sono disposti a semicerchio, in terra, e coperti da lenzuoli. Le vittime sono un centinaio e fra queste ci sono anch'io, ma nello stesso tempo sto in mezzo alla folla dei curiosi e faccio i miei commenti sull'incidente aereo rievocandone le immagini: l'aereo scende a bassissima quota, va a urtare con un'ala contro un palo della luce, si frantuma al suolo. Rievoco la scena varie volte lamentandomi che in un incidente cosí insulso, forse si tratta addirittura di uno scherzo, hanno finito per perdere la vita tante persone, io compreso. Rivedo la scena dell'incidente varie volte come in un «replay» televisivo e ogni volta compare alla fine piazza Esedra con tutti i cadaveri coperti dai lenzuoli. Continua il mio sdoppiamento: morto sotto un lenzuolo e in piedi a commentare l'incidente aereo. Scendono sulla piazza branchi di uccelli rumorosi.

Settecamini, 2-3 marzo

Appena addormentato mi si presenta nel sogno un uomo con la barba, di aspetto autorevole, sui quaranta-cinquanta, di bella statura e portamento, vestito grigio e cravatta verde, il quale mi dice: «Chi non lo sa non funziona». Detto questo scompare. Mi preoccupo e mi sveglio.

(Non riesco a collegare l'immagine del personaggio sognato con nessuno che io conosca, e la frase mi resta oscura).

Secondo sogno. Arriva davanti alla casa di Settecamini lo scrittore A. M. in groppa a un cammello. Grandi feste dei bambini e di Anna sia all'amico che al cammello. «Vengo dall'Africa», dice. Lo facciamo entrare, si può fermare quanto vuole, sarà nostro ospite. Dice che non potrà fermarsi molto perché lo aspettano al giornale. È incerto se prendere l'autostrada o la Cassia. Anna dice che a suo parere è meglio l'autostrada, non ci dovrebbero essere ostacoli, basta che non superi i limiti di velocità. Lui ride. Spiego ai bambini che il cammello ha due gobbe e il dromedario una gobba sola. Poi accompagniamo l'amico in dispensa perché scelga qualcosa da mangiare per lui e per il cammello. «Il cammello mangia solo cibi in scatola», dice A. M.

Roma, 5 marzo pomeriggio

Febbre a 38 e mezzo per una influenza. Mi addormento e incomincio subito un sogno confuso che si svolge lí stesso, nel letto, nella camera, con la febbre. Dico: «C'è tanta biancheria in disordine, ma per fortuna viene il papa a fare il bucato».

(Ho la sensazione che si tratti di un frammento emerso da un sogno molto piú lungo e «pieno» che ora non riesco piú a visualizzare. Forse la febbre ha offuscato le immagini).

Roma, 5-6 marzo

Ancora febbre. Sono a letto e sogno di essermi addormentato seduto in poltrona nel soggiorno al piano di sopra. Mi metto un dito in bocca e stringo con i denti. Un molare si stacca e mi resta in mano.

Roma, 6-7 marzo

Mi ripeto in sogno una frase: «La stella di Betlemme si apre alle undici». Cerco inutilmente di ricordare se e quando ho sentito o letto questa frase. Il sogno è senza immagini.

(Ho qualche dubbio, al risveglio, che la frase fosse invece: «La *stalla* di Betlemme si apre alle undici». Meno astratta dell'altra).

Roma, 7-8 marzo

Una grande casa sotterranea, come una grotta scavata nella roccia, senza finestre, senza mobili. Un corridoio dal quale partono due scale che conducono in ambienti ancora piú bassi. Per una scala scende il cane che vive in casa con noi. Io cerco di sfuggire a Anna che mi domanda se ho finito di leggere Pirandello. Mi sento in colpa e rispondo che non ho ancora finito, che è una lettura lunga e faticosa, cerco insomma di giustificarmi. Scendo una delle due scale, quella che porta alla grande cucina. Qui c'è mia figlia Giovanna, ma non riesco a vederla perché sta dietro una colonna. La chiamo, e subito mi accorgo di un fatto incomprensibile e preoccupante: la voce che ha chiamato *non è la mia*. Di chi è allora? Mi guardo attorno e non vedo nessuno. Provo a chiamare ancora e di nuovo sento una voce che non corrisponde alla mia. Provo una terza volta e il fatto si ripete. Sono sconcertato e rinuncio a chiamare Giovanna. Da sopra sento ancora la voce di mia moglie che vuole sapere qualcosa sulla lettura di Pirandello. Non so che cosa rispondere. Finalmente trovo Giovanna e le faccio vedere due pipe, una Peterson's che si è rotta nella parte del fornello e una Comoy's che addirittura si è accartocciata per l'eccessivo calore. Quello delle pipe è un finto problema per sfuggire al problema Pirandello. Il sogno finisce «in dissolvenza», disturbato da voli di pipistrelli.

(Non ho rapporti con Pirandello in questo periodo, mentre negli ultimi mesi effettivamente ho rotto tre pipe, ma non la Peterson's del sogno che invece è intatta).

Roma, 8-9 marzo

Anna mi conduce verso via della Conciliazione perché, dice, è successa una cosa strana. Non vuole rivelarmi di che cosa si tratta, devo vedere con i miei occhi. Sono seccato per tutto questo mistero, dico: «Hai la mania delle sorprese». In via della Conciliazione mi accorgo subito di un vuoto là in fondo. «Cazzo, – dico, – non c'è piú San Pietro!» Anna tace. Ci avviciniamo e veramente *manca* San Pietro, è rimasta solo la piazza e il colonnato. Al posto della basilica c'è un largo spazio di terra battuta. Ai margini una piccola folla di curiosi. «Cazzo, come può essere successo un fatto come questo?» «Ho fatto bene a non dirtelo prima, non ci avresti creduto», dice Anna. «Chissà che cosa dirà il papa», dico. «E tutti quelli che vedono la cupola dalle loro finestre», aggiunge mia moglie. Ci diciamo che con la scomparsa di San Pietro cambia il panorama di Roma e ci incamminiamo verso casa. Anche da casa nostra non si vedrà piú la cupola, pazienza. Certo, ci diciamo, succedono cose strane a Roma. «Succedono cose molto strane, ma questa volta i terroristi non c'entrano». «Però hanno esagerato», dice Anna. «Chi?»

Roma, 11-12 marzo

Sono sott'acqua nel mare profondo. Mi dibatto per risalire in superficie mentre pesci feroci mi inseguono per mangiarmi. Un pesce grosso mi addenta un piede e lo divora in pochi istanti. Ora il sangue attirerà altri pesci, per me è la fine. Si avvicina un pesce enorme con due fari di automobile accesi e la bocca spalancata. Dovrei pronunciare una parola magica per tenere lontano il pericolo, ma l'ho dimenticata. Mi risveglio in tempo per non essere mangiato.

Roma, 12-13 marzo

Mi trascino dietro da una stanza all'altra una ragazza nuda tirandola per un capezzolo. La ragazza non protesta, a tratti sorride come se il gioco non le dispiacesse. Una stanza, un'altra, sbatto una porta aprendola con un calcio, un lungo corridoio, un'altra stanza, il gioco continua.

«A stacco» passo a un altro gioco che ha qualche somiglianza con il primo. Afferro l'alluce di un ragazzetto che sta seduto su una sedia e cerco di trascinarmelo dietro come ho fatto prima con la ragazza. Il ragazzo non ce la fa a camminare, deve aiutarsi con le mani. Improvvisamente il ragazzo scompare in una nuvoletta di vapore bianco.

Roma, 13-14 marzo

Una grande stalla con le colonne di pietra e le volte, una cattedrale contadina. In fondo alla stalla c'è una balconata a semicerchio alla quale si affacciano un uomo brutto, un maiale ritto sulle zampe posteriori e un cane, anch'esso ritto sulle zampe. Che cosa vogliono? Non è chiaro, ma reclamano qualche diritto sulla loro presenza nella stalla che è sotto la mia giurisdizione. L'uomo non si distingue gran che dai due animali, come loro non parla ma si esprime a gesti. Si direbbe che insieme reclamino ospitalità. La cosa mi indispone tanto piú che l'uomo sembra voler scavalcare la ringhiera della balconata e scendere nella stalla. Ora che lo osservo meglio vedo che ha escrescenze sul volto deforme, provo una forte ripugnanza e gli faccio segno di andarsene. L'uomo si infuria, si agita, abbaia, mentre il cane e il maiale tacciono.

Roma, 14-15 marzo

L'attrice C. S. mi consegna foglietti con sue poesie scritte a mano. La scrittura minuta, al centro del foglio bianco, forma un quadratino. Alcune poesie portano delle cancellature ma decido che si possono pubblicare cosí come sono, senza comporle a stampa, come se fossero dei disegni. Tutto bene, non ci sono problemi, solo la noia insopportabile della piccola poesia, di cui naturalmente non parlo con l'attrice.

Roma, 15-16 marzo

Sul bracciolo della poltrona c'è una presa elettrica con un buco solo. La Vecchissima Signora (un personaggio che è comparso altre volte nei miei sogni) chiede spiegazioni su questa strana presa elettrica. Mi giustifico dicendo che bisognerà trovare il secondo buco. Altra cosa: la poltrona non è collegata all'impianto elettrico. Per caso si tratta di uno scherzo? La Vecchissima Signora vorrebbe una risposta netta, ma io non sono in grado di darla. La prego di avere pazienza, ma lei se ne va indispettita.

(Quella che io chiamo la Vecchissima Signora è una donna ovviamente molto vecchia, di statura imponente, arcigna, magra, autoritaria, che non assomiglia a nessuna persona che conosco. Ogni volta si presenta per mettermi in imbarazzo, per farmi fare delle brutte figure, o per rimproverarmi. Non ha mai avuto un gesto, una parola, una espressione amichevole nei miei confronti. È vestita di scuro, con abiti antiquati e conservo l'impressione che emani un leggero odore di zolfo).

Roma, 16-17 marzo

Nel sogno sono perfettamente cosciente di sognare e che l'indomani trascriverò il sogno che sto facendo. Ma non sto sognando niente. Mi domando che cosa mi conviene sognare. Non lo so proprio. Poco alla volta si spegne la coscienza del sogno irrealizzato e scivolo di nuovo nel sonno inerte.

Roma, 18-19 marzo

Il sogno incomincia con andamento da incubo. Sto dormendo nel mio letto, nella camera della casa di Roma e sogno di trovarmi nel mio letto e nella mia camera di Roma. (Nell'incubo si è sempre perfettamente coscienti del luogo. A differenza del sogno, l'incubo si svolge nel luogo reale). Ma questa volta avverto quasi subito una «sfasatura» perché, mentre l'interno della camera è senza possibilità di equivoco quella di Roma, gli altri luoghi della casa sono quelli di Settecamini, della casa di campagna. Questo è motivo di immediato disagio quando sento arrivare da fuori due automobili. L'arrivo inaspettato di automobili durante la notte in una casa di campagna è di per sé un fatto preoccupante. Qui si aggiunge l'ambiguità della doppia ubicazione. (Negli incubi, oltre alla «coscienza» del luogo reale, c'è l'impossibilità di muoversi, il soggetto è come paralizzato, per cui non riesce a muoversi e agire, e perciò a difendersi dai pericoli incombenti. Qui c'è, come in un incubo, la coscienza del luogo reale, che tuttavia coincide solo in parte con la realtà, ma riesco a muovermi come in un sogno, a alzarmi e a uscire dalla mia camera). La sensazione di disagio si tramuta in paura mentre giro al buio nei corridoi della casa di campagna. Si sentono da fuori voci di uomini scesi dalle due automobili, vogliono entrare, bussano al portone, bussano alle finestre del piano terra. Mi aggiro sperduto per la casa, non so che fare, fino a quando mi sveglio.

Roma, 19-20 marzo

Un'alta cattedra sulla quale siede un giudice vestito di nero con un cappellaccio in testa. Io guardo in su verso il giudice che deve pronunciare la sentenza. Arrivano finalmente, con un suono lontano, le sue parole. Vengo condannato a «fare lo spiffero», dovrò passare attraverso gli spiragli delle porte socchiuse, le fessure delle porte e delle finestre, veloce e leggero come il vento. Mi allontano dalla cattedra e incomincio subito a *comportarmi come uno spiffero.* Passo attraverso lo spiraglio di una porta, velocissimo, sibilando. Passo e ripasso molte volte, ma ogni volta il ritorno deve avvenire in silenzio e «in punta di piedi». Continuo a fare lo spiffero, a correre e a sibilare. La porta mette in comunicazione un vasto androne e un salotto con il camino acceso. Devo stare attento perché nel salotto rischio di venire risucchiato dal tiraggio del camino, devo tenermi alla larga dal camino. Fare lo spiffero è molto faticoso, ogni tanto devo riposarmi.

Roma, 20-21 marzo

Due barche a vela, identiche, una a fianco dell'altra in perfetta simmetria, procedono sul mare. Le vele bianche, gli scafi splendenti, bianchi con una riga gialla. Sulla barca di destra, in cima all'albero, si è posato un uccello nero.

Roma, 21-22 marzo

Mi guardo nello specchio e mi accorgo di avere i baffi. Quasi non mi riconosco e in ogni caso trovo odiosa la mia faccia con i baffi. Oltre al resto sono asimmetrici, uno piú alto dell'altro. Disgustato, mi domando chi mi ha convinto a lasciarmeli crescere. Sono incerto se rompere lo specchio o tagliarmi i baffi.

Settecamini, 24-25 marzo

Sono io, ma di vetro. Mi muovo con cautela in un ufficio pieno di gente, temo che qualcuno mi urti e mi rompa. Sono fragile. Basterebbe urtarmi con il manico di un ombrello per mandarmi in frantumi. Per fortuna nessuno lo sa, altrimenti a qualcuno potrebbe venire in mente di farmi un brutto scherzo. Ma devo stare attento comunque, prevenire anche gli urti involontari, la maniglia di una porta, lo spigolo di un tavolo, il passamano di una scala. Spero di non incontrare i terroristi, non saprei come difendermi. Arrivo finalmente su un prato soffice e mi chino a toccare l'erba con le mani. Mi sveglio mentre sto toccando il materasso del letto.

(Cartesio: «E con quale ragione potrei negare che queste mani e questo corpo mi appartengono? Se non forse paragonandomi a certi insensati il cui cervello è talmente offuscato e confuso dai neri vapori della bile che essi affermano costantemente di essere dei re mentre sono poverissimi, di essere vestiti di porpora e d'oro mentre sono tutti nudi, o si immaginano di avere la testa di argilla, o di essere delle brocche, o di avere un corpo di vetro». Nemmeno io vorrei paragonarmi a questi insensati biliosi. Prosegue il filosofo: «Tuttavia, devo considerare che sono un uomo, e che ho quindi l'abitudine di dormire e di rappresentarmi in sogno le stesse cose, o altre ancor meno verosimili che quelle di questi folli da svegli». Nel *Licenziato Vidriera*, una delle *Novelle esemplari* di Cervantes, il protagonista impazzito per la fattura di una donna innamorata si crede fatto di vetro).

Roma, 25-26 marzo

Dovrei fare una conferenza. Nella sala in penombra molta gente è seduta e aspetta che io parli. Il tema che ho scelto è: «Il sole di Austerlitz e il gelo della campagna di Russia». Non so assolutamente che cosa dire, non riesco a pronunciare nemmeno una parola. Tutti aspettano che io parli, si sentono dei bisbigli nella sala. Sono angosciatissimo e finalmente mi sveglio.

Roma, 26-27 marzo

Una collina coperta di neve. Tra gli alberi spogli spuntano da terra strane palle scure. Mi avvicino e scopro che sono teste di uomini e donne, congelate talvolta in una smorfia di dolore, altre in un sorriso o in espressioni ebeti. C'è anche una Cinese bellissima con un sorriso sulle labbra, lo sguardo incantato e i capelli sciolti al vento. Ne ho una gran pena, mi metterei a piangere. Mi inginocchio sulla neve e le accarezzo i capelli.

Roma, 1-2 aprile

Verso la fine di un sogno molto lungo che ho dimenticato, ma che si svolge all'interno di un appartamento, il padrone di casa, il pittore T. S., propone un gioco di società. Prende un coltello e si mette a tagliare fette di prosciutto che offre agli ospiti: il gioco consiste nel riconoscere dal prosciutto *l'amico col quale è stato fatto*. Sono sconcertato, non me la sento di stare al gioco cannibalesco e decido di andarmene.

Roma, 2-3 aprile

Camminando in un bosco trovo in mezzo all'erba dei bellissimi attrezzi lucenti e colorati: pinze, tenaglie, cacciaviti, un trapano a mano con il manico rosso, una chiave inglese. Poi un palloncino verde nascosto in mezzo all'erba alta. Non lo tocco perché temo che sia velenoso. Ci monto sopra con i piedi e lo faccio scoppiare. Ne esce una nuvoletta di fumo bianco.

Roma, 3-4 aprile

Campagna aperta, nebbia e freddo. Batto i piedi sul terreno ghiacciato. Davanti a me c'è un muretto basso che segna il confine tra la Germania Federale e la Germania Orientale. Ho qualche dubbio, ma credo di trovarmi dalla parte della Germania Federale. Alle mie spalle c'è un piccolo gruppo di persone che aspettano probabilmente un mio gesto, una mia decisione. Passa qualcuno lungo il muretto dalla mia parte, vorrei chiedere del pane ma pronuncio un'altra parola che non c'entra niente: «Gesicht». Ripeto questa parola a tutti quelli che passano. In mezzo al gruppo alle mie spalle riconosco A. R. ma non ci salutiamo, anzi ci guardiamo con sospetto. Finalmente mi avvicino al muro e mi siedo a cavalcioni con una gamba di qua e una di là e dico forte: «Starò qui mille anni». Guardo il gruppetto per cogliere qualche reazione alle mie parole. Niente, o non hanno sentito o fanno finta di niente.

Secondo sogno. Non capisco da dove sia entrata tanta cenere. Cammino nella casa a vetrate su un pavimento coperto da un palmo di cenere. Questa casa non è mia, è un rifugio dal quale non mi conviene uscire perché fuori dalle vetrate si vede solo buio, non una luce, non una stella. Appena mi muovo, i piedi affondano nella cenere. Il caldo è soffocante, faccio fatica a respirare. Vorrei aprire le vetrate ma non hanno maniglie, sono sigillate. Forse mi trovo in un grattacielo, ma allora perché non si vedono luci di fuori? Una città abbandonata? Dalla stanza vicina sento dei passi. Apro la porta, non c'è nessuno. Sto soffocando...

Roma, 4-5 aprile

Ho riso a lungo nel sonno (nel sogno), ma al mattino non riesco piú a ricordare la ragione del ridere.

Roma, 5-6 aprile

Ho accettato l'incarico di insegnare matematica in una scuola, ma non so quasi niente di matematica. Entro nella classe, mi siedo alla cattedra e non so come incominciare la lezione. Fra gli allievi c'è anche mia figlia Giovanna che mi guarda preoccupata. Vado alla lavagna e scrivo un numero grandissimo con una quantità spropositata di cifre. Dalla scolaresca si leva una esclamazione di meraviglia. Dico: «Copiate questo numero sul vostro quaderno e per oggi basta».

Roma, 6-7 aprile

Aprendo il compasso sulla carta d'Italia scopro che Orvieto sta esattamente a metà fra il confine Nord e il confine Sud. Questa mi pare una scoperta molto utile sopratutto per chi voglia «smontare» l'Italia in due pezzi. In questo caso Orvieto, o meglio il puntino nero circondato da un cerchietto che segna Orvieto sulla cartina, può diventare il perno o lo snodo che tiene insieme i due pezzi. La cosa mi sembra talmente importante che decido di annunciarla con un discorso alla folla radunata sotto la mia finestra. Mi affaccio e vedo soltanto una immensa voragine nera e piena di vento.

(In realtà Orvieto non è affatto alla giusta metà fra il confine nord e il confine sud dell'Italia).

Settecamini, 7-8 aprile

Da un sogno «cancellato» nel suo svolgimento, affiora nella memoria soltanto qualche immagine. New York, il centro di Manhattan con i suoi grattacieli lucidi come cristalli, le bocchette stradali dalle quali escono sbuffi di vapore, e poi una gallina solitaria che zampetta sul marciapiede.

Improvvisi spostamenti: l'ingresso di un garage nella zona fumosa del porto di New York come in un vecchio film di Dassin in bianco e nero, l'insegna di un teatro dove è in corso uno spettacolo che *mi riguarda*, un tronco d'albero sul marciapiede di una strada affollata (la gente lo scavalca saltando), e poi l'interno notturno di un grattacielo dal quale si vedono solo altri grattacieli illuminati.

(Il sogno era certamente piú lungo, ma sembra quasi che sia successo un «guasto» per cui le immagini si sono scomposte o sovrapposte come qualche volta le immagini televisive, e lunghi spazi vuoti. La gallina potrebbe avere qualche riferimento con le storiette di galline che ho appena finito di scrivere per farne un piccolo libro per ragazzi).

Roma, 8-9 aprile

Una ragazza magra, bella, aggressiva, un po' arcigna, vestita di scuro. Ha le gambe ricoperte di una calzamaglia nera che, sul busto, diventa luccicante d'argento e oro. Un largo cappello di paglia in testa. Non è un viso noto. La ragazza sta in posa, potrebbe essere una fotomodella. Si chiarisce la ragione della posa con la necessità di rinnovare la copertina dei libri della Cooperativa Scrittori. Infatti la ragazza è riquadrata dentro una cornice che corrisponde a un grande libro. In realtà so benissimo che le copertine dei libri sono soltanto un pretesto per smaneggiare la ragazza facendole assumere pose provocanti. Siamo noi due soli, ma in un luogo aperto dove potrebbe sopraggiungere qualcuno, per cui il mio desiderio per la ragazza non si concretizza. Mi rendo conto della ipocrisia, ma insisto a farle assumere pose e altre pose ancora, agisco con lentezza facendole durare il piú a lungo possibile.

(Mi occupo saltuariamente delle edizioni della Cooperativa Scrittori, qualche volta anche del loro aspetto grafico, ma senza impiego di fotomodelle).

Settecamini, 11-12 aprile

L'Arcangelo Gabriele mi sta spiegando che può volare soltanto da sinistra verso destra. «Destra rispetto a chi?» domando. Mi dice che quando si mette in posizione di volo, chino a terra con i ginocchi piegati, può partire solo in direzione della sua destra. A vederlo cosí, grassoccio dentro la tuta celeste, non mi sembra nemmeno in grado di volare. Gli domando se può fare un piccolo volo dimostrativo. L'Arcangelo monta su un pietrone, si china, allarga le ali e poi spicca il volo. Lo vedo che si alza nell'aria sbattendo faticosamente le ali, poi scende a terra di nuovo a una cinquantina di metri sulla destra. Mi incammino per raggiungerlo a piedi, pieno di invidia perché lui sa volare e io no.

Settecamini, 15-16 aprile

Seduto su una poltrona in una casa confortevole, molti cuscini e tappeti coloratissimi, sto ascoltando un concerto di musica sinfonica che esce da una bottiglia posata su un basso tavolo. Ho idea che si tratti di un sogno e mi dico: Che sogno borghese sto facendo! Dalla bottiglia «musicale» verso in un bicchiere un liquido di colore metallico e lo bevo sorseggiando, convinto di «bere musica».

(Ripensandoci, i cuscini e tappeti coloratissimi sono su varie tonalità di rosso).

Roma, 18-19 aprile

Arezzo. Fermo sul marciapiede c'è un ragazzo sui vent'anni. Aspetta di essere ricevuto da qualcuno che abita al primo piano di un palazzo che si affaccia sulla piazza. Guarda in su verso il primo piano, forse in attesa di un segnale. Io sto cercando di definire il mio ruolo, devo decidere se sono amico del personaggio che dovrebbe ricevere il ragazzo o del ragazzo che vorrebbe essere ricevuto. Le possibilità per il momento sono equidistanti. Da una strada sull'angolo della piazza sta arrivando una automobile rossa che per un istante scambio per una Rolls Royce. In realtà si tratta di una imitazione fatta con la cartapesta, molto grossolana, una parodia piuttosto che una imitazione. La macchina si accosta al marciapiede con una sbandata, ne scende una ragazza che urla a squarciagola: «Trau, trau, trap!» *Io so* che anche lei vorrebbe essere ricevuta dal personaggio che abita nel palazzo. Ancora non sono in grado di decidere da che parte sto, se con i due ragazzi o con il personaggio che dovrebbe riceverli. Mi viene il dubbio che il personaggio sia il mio amico W. P. che da qualche tempo ricopre cariche manageriali di rilievo. E se poi è un altro? Mentre cerco di risolvere l'incertezza potrei mangiare un gelato, ma sulla piazza non ci sono gelaterie. Mi muovo alla ricerca di una gelateria.

(Ancora una volta ho la sensazione che questo sogno sia soltanto un frammento di un sogno molto piú lungo).

Roma, 19-20 aprile

Una specie di «luogo teatrale» diviso in due sezioni, quella in primo piano dove mi trovo io è *il presente*, l'altra, visibile attraverso una apertura rettangolare al centro della scena, è *il passato*. Oltre l'apertura c'è una zona non tanto luminosa, non piana ma in salita (a differenza del presente che è in piano) e se ne intuisce la profondità prospettica. Al di là della divisione sta succedendo qualcosa, lontani rumori, fischi, voci indistinte. Improvvisamente un urlo altissimo e straziato, un urlo di grandissima disperazione quasi animale, come un muggito. Riconosco la voce che è quella di un contadino (P. A., mezzadro fino agli Anni Cinquanta in un nostro podere dell'Appennino Emiliano). L'urlo risuona a lungo, ma io non posso fare nulla, non posso oltrepassare la barriera che divide la zona del presente da quella del passato. È successo un fatto di sangue, un incidente atroce e pare disperazione irrimediabile quella del contadino. Può essere l'inizio di una lunga follia, oppure la voce che annuncia il suicidio. L'urlo si spegne lentamente.

Secondo sogno. A fianco di una stradina che attraversa un parco, potrebbe essere il parco di Villa Lante a Bagnaia, quattro o cinque vasi di terracotta a forma di anfora romana, in piedi. Dalla stretta imboccatura emergono le teste di uomini e donne con larghi cappelli di paglia. Le facce hanno espressioni burattinesche, ma non allegre. L'insieme mi sembra molto «decorativo».

Roma, 20-21 aprile

Mi sveglio improvvisamente e mi accorgo che sto ridendo, sono le mie stesse risate che mi hanno svegliato. Non ricordo nessuna immagine, probabilmente si tratta ancora di un sogno «a video spento».

Settecamini, 21-22 aprile

Mi arrampico a fatica su un grande albero e raggiungo un nido. È vuoto e vorrei entrarvi. Mi raggomitolo, ma il nido è troppo piccolo. Sono stanco e ho bisogno di riposo, ma il nido è veramente piccolo per me, senza rimedio. «A stacco» mi trovo seduto su un grosso cumulo di vetri rotti, con Anna e i bambini giú in basso che mi invitano a scendere. Li vedo molto piccoli, tutti e tre, come se fossero lontanissimi. Rispondo: «Non posso, sto scrivendo un libro».

Roma, 25-26 aprile

(Mi sveglio a metà della notte. Ho fatto tre sogni brevi e vorrei scrivere qualche appunto per non dimenticarli. Ma ho sonno e non mi va di scrivere. Su un cartoncino segnalibro scrivo soltanto tre parole che la mattina dovrebbero essere sufficienti per richiamare alla memoria i tre sogni: «palude», «scatola», «sorella D. N.». Ma al risveglio soltanto «sorella D. N.» riesce a farmi ricordare il sogno. Degli altri due sogni, nonostante gli sforzi, non riesco a ricordare assolutamente nulla).

Sorella D. N.: si tratta della sorella di un noto antropologo e storico delle religioni con il quale ho parlato al telefono solo due volte qualche tempo fa, ma che non conosco personalmente. Mi trovo in casa della sorella (non so se nella realtà l'antropologo abbia una sorella). Sto per congedarmi, lei mi accompagna alla porta e prima di salutarmi mi dice, mi ripete, con aria di rimprovero che suo fratello scrive poesie e che farei bene a leggerle. Mi saluta e chiude la porta senza lasciarmi il tempo di una replica.

(Non so se D. N. scriva poesie, non mi risulta).

Roma, 6-7 maggio

Un fabbricato antico, fastoso, forse un castello, ma situato al centro di Roma fra via del Corso e il Babuino. Entro in un salone con il soffitto altissimo, a volta, decorato con stucchi e pitture. Una folla di «fedeli» riempie il salone, alcuni inginocchiati sul pavimento, altri seduti, altri in piedi, ma tutti molto composti e quasi immobili. Si sta celebrando un rito che però non mi interessa perché io sono diretto verso la seconda parte del fabbricato, quella «riservata». C'è una porta segreta fra la prima e la seconda parte. Potrei cercarla, ma preferisco uscire sulla strada e rientrare da un altro ingresso. La seconda zona del fabbricato è piuttosto povera, composta di varie stanze semivuote. È sera e bisogna chiudere le persiane e le finestre. Incomincio a chiudere le finestre, poi mi accorgo che bisogna chiudere prima le persiane. Riapro le finestre e chiudo le persiane e intanto arrivano alle mie spalle l'editore P. B. e A. G. che mi infastidiscono con il loro chiacchiericcio mentre continuo a chiudere persiane e finestre. Passo in un'altra stanza e i due mi seguono continuando a chiacchierare. Anche nella seconda stanza chiudo le persiane e le finestre, questa volta senza errori.

(Da notare che non conosco affatto l'editore P. B. e che nemmeno A. G. lo conosce. Non so se l'immagine di P. B. nel sogno assomiglia al P. B. della realtà).

Roma, 7-8 maggio

Mi aggiro preoccupato fra i turisti del Gianicolo. Devo parlare con il sindaco, mi dico. Questi turisti a forza di guardare il panorama di Roma finiranno per consumarlo, bisogna proteggere il panorama di Roma dagli sguardi corrosivi dei turisti. Migliaia e migliaia all'anno. Si consuma lentamente, giorno dopo giorno e alla fine non resterà niente. Mi affaccio al muretto e vedo che il panorama effettivamente è un po' sfocato e consunto. Bisogna abolire anche i cannocchiali a pagamento, deve intervenire il sindaco.

Roma, 8-9 maggio

Enormi labbra femminili, grasse e mostruose nella loro enormità, si muovono lentamente. Non si tratta di un manifesto pubblicitario come credevo, sono proprio vere. A chi appartengono? A una donna che conosco? È difficile riconoscere una persona dalle labbra. Cosí da vicino ne vedo le screpolature, lo strato di rossetto che le copre. Vorrei allontanarmi, ma nello stesso tempo ne sono attratto, non riesco a muovermi. Improvvisamente, *come mi aspettavo*, esce una lingua enorme, appiccicosa, che mi avvolge e lentamente mi trascina dentro la bocca-caverna.

Roma, 9-10 maggio

Sono seduto a un ristorante all'aperto insieme a F. M. e a una persona *senza faccia* e che perciò non posso riconoscere. Durante il pasto cerchiamo di interpretare un cartello appeso al muro con una scritta in grande: CORNIFLEUR. Piú volte, tenendo in mano la forchetta o il coltello, sia io che la persona senza faccia e ci avviciniamo al volto di F. M. Ma ecco che uscendo e camminando per la strada F. M. perde sangue dal collo, viene raccolto e portato all'ospedale da una ambulanza. Vengo poi a sapere che «sta morendo» per colpa mia, mi si accusa di avergli fatto un taglio nel collo. Io *non sono sicuro di essere innocente*. Ma a questa si sovrappone una nuova preoccupazione: un incendio si è sviluppato nella casa dove stanno mio padre e mia madre. Salgo su una catasta di mobili e arrivo all'altezza dell'ultimo piano a mansarda. Dal tetto in parte crollato vedo i miei genitori tra il fumo e le fiamme, disperati. Mi avvicino e mostro un divano che sta sulla catasta all'altezza delle finestre. «Saltate qua sopra» dico. Li aiuto a saltare. Sono salvi.

(La seconda parte del sogno appare del tutto divergente dalla prima tanto da farla apparire come un secondo sogno. Senonché la continuità della sequenza dei fatti mi sembra sufficiente per considerare il sogno come unico).

Roma, 16-17 maggio

L'insetto che si muove sul pavimento è insolito, un verme di colori cangianti, con le ali. Piú che ripugnante come gran parte dei vermi, direi che è «imbarazzante» per la sua anomalia. Lo guardo turbato sopratutto per la presenza di quelle ali troppo corte e evidentemente insufficienti a far levare in volo il corpo molle e troppo pesante. Mi dico: Un verme è un verme è un verme è un verme. Questo però non aggiunge nulla alla situazione. Decido di schiacciare l'insetto senza troppo ragionare. Lo schiaccio con un pezzetto di legno. Rimane intera la testa e il resto del corpo si riduce a una poltiglia filamentosa che resta appiccicata al pavimento. Mi chino a osservare da vicino la testa che ancora si muove. Tento di schiacciarla, ma mi sfugge, si muove e tenta di staccarsi dal resto del corpo. Continuo a manovrare il pezzetto di legno per schiacciare anche la testa, ma non riesco a centrarla. Ora vorrei *allargare il campo* per capire dove mi trovo, ma non ci riesco, il mio sguardo inquadra solo un piccolo settore di pavimento dal quale non posso capire nulla. La testa dell'insetto è riuscita intanto a staccarsi dai filamenti del corpo schiacciato e a uscire dal mio campo visivo.

Roma, 23-24 maggio

Una bambina lentigginosa a piazza Navona dice: «Io sono americana». Ma lo dice in perfetto italiano. Osservo: «Non bastano le lentiggini per essere americani». La bambina si mette a piangere. «Vuoi un gelato?» Risponde di no. Sopra la mia testa vedo volare un uccello meccanico. Lo inseguo nella piazza lasciando la bambina.

Roma, 24-25 maggio

Una strada di Manhattan. Due bambine vestite come donne grandi, molto truccate, labbra cariche di rossetto, occhi bistrati. Piccoli mostri. Perché? Altre due. Le bambine truccate da donna vanno sempre in coppia? Non si sa, nessuno risponde.

Settecamini, 25-26 maggio

Cammino per le stradette di Venezia all'alba. A terra c'è un leggero strato di cenere e vedo che anche i tetti, i davanzali delle finestre, i parapetti dei ponti sui canali sono cosparsi di cenere, come se cenere fosse piovuta durante la notte. I passanti non vi fanno caso, ma la stranezza non è tutta lí perché mi accorgo che *le case sono vuote*, cioè vuote all'interno, facciate senza niente dietro, con le porte e le finestre chiuse. Da qualche spiraglio si vede il cielo. Tutto ciò significa che questa è una «città morta» e i passanti che incontro nelle strade forse sono fantasmi o turisti o fantasmi di turisti. Allora *forse anch'io sono un fantasma*, mi viene il sospetto di essere *vuoto dentro*, come le case.

Settecamini, 26-27 maggio

L'ingresso del castello dove si sta svolgendo un congresso, non so su quale argomento. Una ragazzetta mi dice che sulla torre sono riuniti i filatelici e che stanno litigando, forse ci saranno dei morti. Ho in mano un piede di carta insanguinato e vorrei disfarmene. Lo nascondo dietro un cespuglio. Arriva un cammello lí sull'ingresso e vorrei usarlo per segnalare il congresso. Spargo in terra della colla e poi faccio sdraiare il cammello sperando che vi resti incollato. Dal castello esce N. B. e mi dice: «Mentre noi ci preoccupiamo del congresso, quelli ci stanno portando via il quattro per cento».

Roma, 27-28 maggio

Sono stanco, annoiato, ho caldo, sto seduto su una terrazza davanti al mare, fumo una sigaretta, mi gratto i ginocchi, caccio via una mosca che mi ronza davanti agli occhi. Sulla terrazza cadono le foglie da un albero di eucaliptus insieme a granelli verdi. Sul tavolo di ferro c'è un boccetto di tintura di jodio. Vi intingo un pennello sottile e disegno una barca e degli uccelli su un foglio. È passata la noia, sono contento, mi diverto a disegnare con la tintura di jodio e chiamo Anna perché venga a vedere.

(La terrazza ha in comune con quella della casa di Porto Santo Stefano l'albero di eucaliptus e la vista del mare, ma quella del sogno ha ringhiere di ferro, pavimento bianco e diversa è la forma. C'è anche un «errore» che si ripete in altri sogni: da piú di due anni ho smesso di fumare sigarette, fumo solo la pipa).

Secondo sogno. Un gatto nero grande come una locomotiva, con i due enormi occhi al posto dei fari, con le ruote, esce da una galleria e viene avanti sulle rotaie. In realtà il gatto *è una locomotiva* e avanza lentamente, soffiando e sbuffando, verso di me. Mi allontano sui binari per non essere investito, mi metto a correre. L'enorme gatto-locomotiva continua a seguirmi.

Roma, 29-30 maggio

Il paesaggio è sassoso e polveroso. C'è un ponte di cemento, alcuni fabbricati in costruzione, altri già abitati ma con un'aria di non finito, di provvisorio, tutto grigio, colore del cemento e della polvere. Il luogo richiama alla memoria le periferie delle grandi città in espansione. Sono in compagnia di un uomo che non conosco, ma che *devo aiutare*. Laggiú oltre il ponte si intravedono due carabinieri in divisa nera, molto impolverati. L'uomo vuole nascondersi o scappare perché è ricercato. Lo invito a entrare con me in un bar che sta lí a pochi passi. L'uomo non se la sente, preferisce nascondersi dietro un palo di cemento. I due carabinieri camminano ancora avanti e indietro laggiú in fondo oltre il ponte, in mezzo alla polvere. Mi «visualizzo» uscendo da me stesso e guardandomi da fuori. Mi prende il dubbio di trovarmi dentro la scena di un film neorealista e mi sforzo di uscirne in ogni modo. Finalmente mi sveglio.

Roma, 1-2 giugno

La strada di terra battuta si divide in due strade piú strette che corrono quasi parallele e a breve distanza l'una dall'altra, una sopra e una sotto, lungo il fianco della collina. Il luogo mi è già noto, l'ho visto probabilmente in un altro sogno. Sono fermo al bivio con il mio traino a buoi, non so quale delle due strade prendere. Una voce mi mormora all'orecchio che il Partito Comunista mi consiglia di prendere la strada che cammina piú in basso perché finisce su uno spiazzo dove non si affonda mentre l'altra finisce in un pantano. Prendo la strada piú bassa tenendo d'occhio le ruote del traino sulla terra bagnata.

Settecamini, 2-3 giugno

Io e Anna, accompagnati dai figli Pietro e Giovanna, stiamo percorrendo il corridoio di un ospedale. Pietro resta un po' indietro. Finalmente ci affacciamo a una piccola stanza con un lettino sul quale c'è Pietro, che però continua ancora a seguirci nel corridoio. L'altro Pietro che sta sul lettino è piú piccolo (nella realtà Pietro ha quattordici anni, quello sul lettino ne avrà due o tre). Un infermiere ci annuncia: «Sta per morire». Poco dopo lo stesso infermiere si riaffaccia sulla porta con una espressione desolata per dire che la sua previsione si è avverata. Nostro dolore incredulo: dietro di noi c'è sempre l'altro Pietro, quello vero. L'infermiere raccoglie il corpicino nel lenzuolo prendendolo per i quattro capi e lo solleva in aria, gli fa fare alcune rotazioni in modo da avvolgerlo strettamente «come una caramella». Io e mia moglie ci allontaniamo seguiti da Giovanna e Pietro, quello vero, piú grande.

Roma, 3-4 giugno

L'aereo è atterrato in un campo subito dopo il decollo. Ora è lí abbandonato e sulla carraia di terra battuta si vedono i segni delle ruote del carrello. Attraverso a passi lenti un campo di terra lavorata, molto soffice, dove affondo fino alle caviglie. Mi segue una persona *piú piccola di me*, forse mio figlio. Passiamo vicino all'aereo e «mio figlio» dice: «Ha le eliche». Infatti è un grande aereo di tipo vecchio, con i motori a pistoni e le eliche. Non ci fermiamo, ma percorriamo ancora un tratto fino al margine del campo dove ci sono dei fiori tagliati, tenuti in fresco sotto un mucchietto di terra farinosa. Sono fiori da mangiare. Ne prendo un mazzetto e li assaggio, ma non mi piacciono. In realtà hanno sbagliato nel raccoglierli, sono una specie di crisantemi mentre quelli buoni assomigliano ai garofanini selvaggi. Prima di ritornare indietro ripercorrendo il campo di terra soffice, raccolgo una piantina fiorita che ha un profumo forte e gradevole. Mi segue sempre, in silenzio, la persona piú piccola di me.

(La sensazione è che il luogo di questo sogno sia adiacente a un luogo di altri sogni: probabilmente l'aereo atterrato nel campo è partito da una pista in mezzo a un bosco che ho vista in sogno molte volte negli anni scorsi e dalla quale io stesso sono partito in volo su aerei che decollavano sfiorando le cime degli alberi).

Roma, 4-5 giugno

C'è in corso una guerra. Tutti camminano nelle trincee che si intersecano su un terreno desolato, senza un filo di vegetazione e continuamente battuto da proiettili invisibili. Chi mette fuori la testa dalla trincea viene decapitato. Non si sa chi è il nemico, né da dove vengano questi proiettili invisibili e micidiali. Nelle trincee tuttavia ci si muove in continuazione. Dietro di me c'è la mia famiglia con delle borse piene di provviste e fagotti di indumenti. Il cielo è percorso da ostili rumori, sibili, esplosioni soffocate, lampi di calore. Stiamo camminando in salita per cercare un passaggio per l'altro versante della collina. Pare che ogni tanto ci sia uno slargo nelle trincee con posti di ristoro. Un uomo ci dice che è riuscito a avere un caffè. Ma bisogna guardarsi dai malviventi che percorrono le trincee e derubano tutti quelli che incontrano. Io non sono armato, vorrei trovare un'arma. Vedo altri che portano la pistola infilata nella cintura. Qualcuno al posto della pistola tiene un coltello. L'unica speranza è di poter sottrarre l'arma a quelli che mettono fuori la testa e vengono decapitati dai proiettili silenziosi. Si continua a camminare senza sosta, senza pace.

Roma, 5-6 giugno

Sto navigando sull'Oceano alla volta del Continente Americano. La nave è moderna e i passeggeri che passeggiano sul ponte appartengono alla nostra epoca. Io porto al fianco una lunga spada senza fodero, molto squadrata e simile a quella delle carte da gioco piacentine, è anche azzurra come quelle. La spada mi dà noia e mi vergogno un po' a farmi vedere con quell'arnese, ma non posso liberarmene. Mi sento impacciato nei movimenti non soltanto per la lunga spada, ma perché poco alla volta mi accorgo di essere una figura piatta, una carta da gioco. Che qualcosa non va me ne accorgo anche dagli sguardi o curiosi o ironici degli altri passeggeri. Sul ponte c'è una ragazza che mi piace, vorrei avvicinarla, ma non ne ho il coraggio: quali speranze di successo può avere *una carta da gioco*?

Sofia, 7-8 giugno

Una rana di ferro è stesa sul cassettone della camera d'albergo (simile ma non identica a quella dove sto dormendo) come se vi fosse stata schiacciata da un rullo compressore. I contorni sono leggermente deformati per effetto dello schiacciamento. Su un tavolino nella stessa camera c'è un coccodrillo di ferro schiacciato come la rana.

Sofia, 8-9 giugno

Tutti sono d'accordo nel dire che certi Bulgari, solo pochi, sono invisibili. Io ho qualche perplessità, ma non posso dimostrare il contrario perché se sono invisibili non si vedono, e nemmeno io li vedo. «Lí ci sono due Bulgari invisibili», dice N. Z. Io non vedo niente, ma è giusto che non li veda perché sono invisibili. Si sta parlando di questo in un giardino pubblico fra una decina di persone. Fra queste solo io ho dei dubbi, ma non oso manifestarli.

Porto Santo Stefano, 13-14 giugno

La scritta TWA diventa TUA. «Tua» in francese significa «uccise». Sono molto orgoglioso di avere *scoperto il trucco* della compagnia aerea americana.

Settecamini, 14-15 giugno

Cammino nel bosco portando sotto il braccio un tronco rubato. Un altro lo ha rubato Anna che ora cammina, in camicia da notte, anche lei con il suo tronco sotto il braccio, verso una zona bassa e fitta del bosco. La rimprovero: che non si allontani, sopratutto che non si inoltri nella boscaglia dove ci sono pericoli di ogni genere, spine, insetti velenosi, umidità, cani randagi e anche mine anticarro. Con fatica riesco a ricondurla sul sentiero.

Roma, 18-19 giugno

Il sogno è la replica festosa di una immagine vista nella realtà: un «treno» galleggiante che viaggia sull'acqua. Provo un grande piacere a osservarlo e senza sforzo lo «avvicino» come se avessi il teleobbiettivo, per ammirarne meglio i colori e i particolari.

(Nella realtà si trattava di sette o otto galleggianti trainati da un rimorchiatore, per il rifornimento d'acqua potabile all'Argentario. I galleggianti gialli davano l'idea di un «treno acquatico». Il sogno assume la funzione di memoria visiva, con la differenza che qui l'immagine diventa piú ricca e luminosa, meno casuale, quasi piú «consistente» della realtà).

Roma, 19-20 giugno

Rimprovero la mia amica M. C. seduta su una poltrona in casa mia mentre fuori piove: «Perché *piovi*?» Come se fosse lei la pioggia. Il rimprovero è assurdo e io me ne rendo conto perfettamente. *So* anche che sto sognando e che da sveglio non direi mai una simile assurdità.

Secondo sogno. Sono chiamato davanti alla Autorità, giudice o ministro o presidente di qualcosa, in una grandissima stanza senza soffitto. Io guardo il cielo ventoso nel quale viaggiano nuvole bianche. «Guardati i piedi e non guardare il cielo», mi dice l'Autorità che siede su un'alta poltrona, un uomo-donna con un cappellone nero in testa, gli occhiali scuri e un maglione a girocollo con una grossa catena d'oro e una medaglia appesa. Mi guardo i piedi, poi di nuovo guardo il cielo. Non ho aperto bocca, ma l'Autorità dice con voce tonante: «Silenzio!» Un coro di voci alle mie spalle ripete: «Silenzio!» Non oso voltarmi, ma prendo dalla tasca una caramella e me la metto in bocca. L'Autorità dice: «Devi portarmi tutti i cani del mondo». Io faccio un cenno di assenso con la testa. Sbucano fuori due omaccioni a torso nudo, con grossi cinturoni di cuoio intorno ai fianchi e mi prendono per le braccia, mi portano di peso verso una finestra e mi gettano fuori. Mi trovo su un prato, solo.

Roma, 20-21 giugno

Il sogno nasce da una congettura, cioè da una immaginazione *sognata*, che poi *si realizza* nello stesso sogno. Sto pensando (nel sogno) al caso in cui, trovandomi solo nella casa di campagna, spenga la luce del bagno con l'interruttore che si trova nella camera da letto e «qualcuno» nel bagno la riaccenda. Da questa congettura *immaginata* nel sogno, passo alla corrispondente situazione *realmente sognata*, cioè sognata come se fosse vera. Dalla immaginazione alla sua realizzazione nel sogno, la paura sale progressivamente. La luce è stata dunque accesa da qualcuno nel bagno e io la vedo dalla fessura sotto la porta. Premo l'interruttore della camera che comanda la luce nel bagno, e la luce si spegne. Qualche istante di attesa trattenendo il fiato e ecco che la luce si riaccende al di là della porta. È possibile che qualcuno sia entrato nel bagno a mia insaputa perché, oltre alla porta che comunica con la camera da letto, c'è una seconda porta che dà nell'anticamera. Spengo di nuovo la luce e di nuovo si riaccende. Tuttavia, al di fuori di questo segnale, nessun rumore denuncia la presenza di estranei nel bagno. Non ho nessuna intenzione di entrare, non voglio correre il rischio di trovarmi faccia a faccia con un estraneo che agisce con l'evidente intenzione di spaventarmi. Alzo la mano per provare ancora una volta a spegnere la luce del bagno, ma prima che il dito tocchi l'interruttore la luce si spegne da sé. Si spegne anche in camera da letto, forse è mancata la corrente. Premo due volte l'interruttore della camera da letto e ho la conferma che è mancata la corrente perché la camera resta al buio. Esco dalla parte dell'anticamera in preda al terrore, ma mi rendo conto subito che il mio persecutore ha un vantaggio su di me: si muove *senza fare rumore*. Probabilmente è scalzo. Mi sfilo rapidamente le scarpe e ora dovrei essere in vantaggio io che conosco perfettamente la casa. Dall'anticamera passo nel corridoio, ma urto la porta facendo un rumore. Mi muovo ancora nel buio, scendo le scale, percorro un corridoio, passo da una stanza all'altra del piano terra inseguito da un invisibile e silenzioso «assassino». Lo considero assassino senza conoscerlo, senza averlo visto. Ora il sogno si svolge nel buio e nel silenzio, è un *sogno tutto nero* la cui unica caratteristica concreta è il mio terrore.

Roma, 21-22 giugno

Una grotta buia e profonda si apre nella parete rocciosa. Mi avvicino all'ingresso e grido: «Sibilla! Fatti vedere, vieni fuori Sibilla!» Nessuna risposta dalla grotta. Grido ancora con tutta la voce: «Sibilla! Sibilla!» ma senza ottenere risposta. Vorrei entrare, ma la grotta è troppo buia e non ne ho il coraggio. Ti sistemo io, Sibilla! mi dico, e accendo un fuoco davanti all'ingresso e sul fuoco metto del fogliame fresco per fare molto fumo. Si fa cosí per stanare gli animali selvaggi. Ma la Sibilla non esce. Spazientito grido: «Puttana!» In mezzo al fumo esce dalla grotta un uomo anziano in ciabatte con gli occhiali e un giornale sportivo in mano. Mi dà una brutta occhiata e si allontana ciabattando e tossendo.

Reggio Calabria, 23-24 giugno

Il postino mi consegna una cartolina. La guardo e non riesco a leggere la firma. Domando se è sicuro che sia per me e lui risponde che è sicurissimo, poi se ne va. Esamino la cartolina e non riconosco la strada della città che vi è riprodotta (a colori), né ci sono indicazioni stampate nel retro. Non riconosco la firma e non riesco a capire nemmeno dal francobollo la provenienza. È uno scherzo? O una trappola? Chi era il postino che me l'ha consegnata? Perché aveva gli occhi bianchi, senza pupille? Sicuramente non era un comune postino ma un *messaggero misterioso*. Da dove veniva? E perché mi ha consegnato questa cartolina? Mi faccio molte domande sopratutto sul postino al quale ora attribuisco intenzioni malvage. Mi sveglio immerso nel sudore e felice di essermi liberato da quelle tetre immaginazioni.

Roma, 25-26 giugno

Sto cercando un passaggio da via dei Greci alla parallela via Vittoria per evitare il Babuino dove sono in corso azioni di guerriglia. Salgo una scaletta di legno provvisoria seguito da altre sette o otto persone che hanno il mio stesso problema. In cima alla scaletta si apre un salone molto grande decorato con stucchi e specchi e pannelli liberty, non ancora arredato. Mi viene incontro una signora elegante che credo di conoscere e domando che cosa faranno in questo locale. «Un casino», dice la signora elegante. Chiedo il permesso di attraversare il locale per arrivare in via Vittoria. La signora acconsente con un gesto. Percorro il salone e poi un breve corridoio con i sette o otto sconosciuti che mi seguono in fila indiana, in silenzio. All'uscita incontro F. C. e gli domando se è informato che stanno mettendo tutto a nuovo quel grande ambiente per farne un casino. Certo che lo sa, è amico della direttrice, ma non ne faranno un casino, bensí una sartoria. La signora scherzava.

Marsiglia, 28-29 giugno

Io dico ad alta voce: «Riri». Perché «riri» e non «rimi»? La domanda mi viene rivolta da un uomo che sta nel buio. Reagisco a voce alta: «Ho detto riri e non rimi!» Mi sembra di essere stato chiaro, ma il mio interlocutore ancora mi domanda dal buio: «Sei sicuro che sia riri e non rimi?» Sto proprio perdendo la pazienza e urlo di nuovo: «Sono sicurissimo! I francesi non hanno la erre ma io sí!»

Secondo sogno. Apro una scatola di svedesi e invece dei fiammiferi vi trovo dentro dei vermi. Getto a terra i vermi e conservo la scatola. Mi guardo attorno: una campagna invernale con i campi coperti di neve. C'è una sedia lí vicino. Mi siedo e osservo il tramonto mentre la sedia lentamente affonda nella neve. Penso: vorrei essere capace di fare molte cose tutte insieme, mangiare leggere scrivere cantare fumare tagliarmi le unghie eccetera.

(In genere i pensieri dei sogni sono legati alla situazione. Piú raramente sono pensieri indipendenti, come in questo caso).

Lione, 29-30 giugno

Ho fatto una scoperta sensazionale: alcune operazioni aritmetiche hanno la facoltà di spostarmi in luoghi lontanissimi. Moltiplico cinque per ventiquattro e mi trovo di colpo in Australia. Se rifaccio l'operazione *all'indietro* ritorno al punto di partenza. Moltiplicando altri due numeri mi trovo sul tetto di una casa di Amsterdam. Purtroppo non conosco le regole di questo fenomeno e perciò devo procedere per tentativi e segnare ogni volta il risultato delle operazioni su un quaderno. Con una di queste operazioni mi sono trovato improvvisamente proprietario di una nave nel porto di Genova. La cosa mi dà troppe preoccupazioni e faccio l'operazione inversa per liberarmi di questa proprietà ingombrante.

(Nel sogno non ho approfondito come si esegue l'operazione *all'indietro*. Pur essendo consapevole di questa lacuna, ho preferito sorvolare forse per non «disturbare» il sogno).

Parigi, 31 giugno - 1° luglio

Mi trovo sotto le mura di Gerusalemme, sono un crociato. La catapulta alla quale sono addetto lancia dentro le mura della città le teste dei Turchi presi prigionieri e decapitati. Non ho un particolare orrore di quello che sto facendo, sono diligente nel deporre le teste mozze sul cucchiaio della catapulta. Ma le mani sono intrise di sangue. Non provo nessuna pietà per i decapitati, solo ribrezzo per il sangue. Le teste per me sono soltanto dei proiettili.

(L'episodio delle teste catapultate dentro le mura di Gerusalemme viene riferito in un libro che ho letto con attenzione qualche tempo fa per ragioni professionali: *Storia delle Crociate* di Joseph-François Michaud).

Parigi, 1-2 luglio

Inginocchiato sul pavimento, sto tentando di fare un pacco che *deve* avere per forza forma di cubo. L'impresa è difficile perché fra le cose che devo impaccare ci sono anche pere e grappoli d'uva (nera). Sto raccogliendo su un grande foglio di carta (verde) delle bottiglie, alcuni libri e poi la frutta che mi sfugge di mano. Nessuno viene a aiutarmi, sono solo, compongo il pacco da una parte e subito mi sfugge dall'altra. Fra poco dovrò partire, sono molto preoccupato.

Secondo sogno. Ho inventato le caramelle-esplosive-antiterrorismo. Entro in un bar dove ci sono due terroristi cinesi ai quali offro le mie caramelle esplosive. I terroristi, un giovane e una giovane con gli occhiali, prendono le caramelle, le succhiano e poi sputano i noccioli metallici che esplodono sul pavimento. Mi sento scoperto, mi do a fuga precipitosa in mezzo al traffico cittadino.

(Può essere una reminiscenza di un film del genere 007, *Matchless*, di cui ho scritto la sceneggiatura tanti anni fa e dove avevo inserito qualcosa di simile alle «caramelle esplosive»).

Parigi, 3-4 luglio

Vedo il Beaubourg parigino come una grande automobile, trema tutto il palazzo, sputa fumo perché *ha il motore acceso*. Finalmente con un sussulto il motore si spegne. Adesso sono tranquillo e posso entrare con Anna a visitare la mostra Parigi-Mosca. Salendo la scala mobile sento odore di benzina, ho proprio la sensazione di trovarmi all'interno di un motore.

Parigi, 4-5 luglio

L'ambiente pare una stoppia e cioè un campo nel quale è stato mietuto il frumento. La terra è secca e polverosa. Mi avvicino a un fosso che attraversa il campo. Due uomini stanno lavorando a conficcare sul fondo del fosso dei corti tronchi appuntiti in modo da formare una specie di pavimentazione di legno. Vicino a me arriva una donna, una zingara, e le dico subito che mi trovo lí per caso e che devo andare a Genova dove ho un appuntamento «con quella persona». Si direbbe che la zingara è al corrente di tutto, viaggio, appuntamento. Ma ora arrivano altri uomini con un carretto carico di tronchi molto corti, senza punta. I due uomini che stanno lavorando nel fosso protestano. A un tratto passa nel campo sollevando polvere un cocchio lucente guidato da un uomo vestito come un antico romano. Lo vedo bene in faccia, ha il naso schiacciato, la pelle bianca e sudata, le labbra rosse come se fossero dipinte. Domando alla zingara chi può essere. «È Nerone», risponde, come se la cosa fosse normale. «Sarà uno che fa la parte di Nerone in un film», dico io. «No no, è proprio Nerone». Laggiú in fondo alla stoppia ancora si vede la nuvola di polvere sollevata dal passaggio del cocchio.

(Il sogno prosegue sul tema del viaggio e dell'appuntamento a Genova, ma piuttosto *pensato* che *per immagini*, comunque sfocato e incoerente. Il viaggio a Genova resta il pensiero dominante, ma senza provocare immagini corrispondenti. Lentamente tutto si allontana e si perde nel sonno).

Secondo sogno. Un uomo altissimo, biondo, con indosso una pelliccia di leopardo. «Questo figlio di mignotta, – dice mio figlio, – ha ammazzato un leopardo per farsi la pelliccia». «Ma no, – dico io, – l'avrà comprata in una pellicceria». «È un figlio di mignotta lo stesso», dice mio figlio.

(In una passeggiata serale al quartiere Pigalle abbiamo visto un travestito con pelliccia di leopardo che ha incuriosito molto i nostri figli ai quali abbiamo dato spiegazioni reticenti).

Aosta, 5-6 luglio

Un branco di giganteschi pipistrelli si voltola su un terreno coperto di polvere nera, in una atmosfera fuligginosa. Stento a camminare, impedito dagli animali grandi e molli. Con un lungo coltello provo a trafiggerne uno e la lama penetra nella carne fino al manico. Dalla ferita esce un fiotto di sangue scuro. Uccido decine di questi animali per farmi strada, il sangue cola nella polvere nera, forma una poltiglia che mi si appiccica ai piedi nudi. Continuo a uccidere altri pipistrelli che non si ribellano, ma fanno soltanto sottilissimi stridi.

Settecamini, 7-8 luglio

Bisogna consumare poca elettricità. Copro una a una le lampadine accese con degli straccetti bagnati in un liquido giallo. Bisogna fare cosí. Le lampadine coperte fanno pochissima luce, ma si risparmia elettricità. Mi accorgo che la piastra bianca di un interruttore del bagno è spezzata. Nell'intonaco del muro lungo la scala c'è un graffio profondo. Un mobile dell'ingresso è stato spostato. Non sono stato io e nemmeno Anna. Domandiamo ai bambini, nemmeno loro. Chi può essere? Ci guardiamo perplessi: *c'è in casa qualcuno che non conosciamo*, questi sono i segnali della sua presenza. Siamo incapaci di prendere qualsiasi provvedimento. Dal basso sentiamo risuonare una risata cattiva.

Roma, 8-9 luglio

Uno sconosciuto mi chiede in prestito una lente dei miei occhiali. Ma sí. Tento di estrarla dalla montatura, forzo il cristallo con le dita e la montatura si spezza con un crac secco. Consegno la lente allo sconosciuto e poi vado in via del Corso dall'ottico che mi ha venduto gli occhiali per comprare un'altra lente e per la riparazione della montatura. Il negozio è ancora chiuso ma lí a fianco c'è un fruttivendolo (non c'è nella realtà) e io vado a chiedere: «Potete consegnare voi questi occhiali da riparare?» Il fruttivendolo mi dice di sí e mi fa vedere un corridoietto attraverso il quale i due negozi comunicano. Nello stretto ambiente di comunicazione gli occhiali sono mischiati alla frutta e verdura. Lascio gli occhiali all'uomo e me ne vado.

Porto Santo Stefano, 10-11 luglio

Indosso una tuta di stoffa metallizzata, non del tutto rigida ma quanto basta per farmi apparire con le gambe a tubo e il torso semirigido come un robot. Sono soddisfatto, sicuro di far colpo, e cammino con disinvoltura verso un'area di Porto Santo Stefano, il cosiddetto Siluripedio, dove sono Anna e i bambini insieme a un gruppetto di amici. Mi accorgo subito che l'accoglienza non è buona. Mia moglie mi guarda con evidente disagio e gli amici stentano a riconoscermi o comunque a accettarmi cosí vestito. Decido di ritornare nel *luogo dal quale sono venuto* e che tra di me definisco «laboratorio». È una specie di scatola o cabina metallica dentro la quale sostituisco la tuta metallizzata con una tuta floscia e grigia che definisco «filosofica». Ora posso inserirmi normalmente, senza parole e gesti vistosi, nel gruppetto che mi aspetta nel solito posto. Un forte vento solleva nuvole di polvere.

Porto Santo Stefano, 12-13 luglio

Sono al centro di una dilatazione improvvisa e violenta, in uno spazio vuoto. Al centro di una esplosione silenziosa.

Molta luce e il senso di una occupazione di spazio immenso, senza frantumazione: l'unità è salva, ma progressivamente piú rarefatta dalla dilatazione. La sensazione angosciosa è data dalla impossibilità di controllare la situazione, dalla assoluta impotenza di frenare il moto centrifugo.

(È un sogno che si ripete periodicamente, da molti anni).

Porto Santo Stefano, 13-14 luglio

Un sogno lacunoso, vuoti improvvisi, passaggi al buio (lacune della memoria o lacune «narrative» intrinseche al sogno?) Un grosso autocarro carico di maiali vivi e io in mezzo a questi che vogliono mordermi. Mi difendo a fatica. Una musica alta prende sostanza nell'aria, *la vedo* alzarsi in volute turbinose e colorate. Sto volando, ho le ali, ma non riesco a reggermi e precipito. Continuo a precipitare nel vuoto senza toccare terra. Credo di svegliarmi e invece sto soltanto sognando di svegliarmi. Cammino a fatica affondando fino al ginocchio nella gommapiuma all'interno di un locale notturno. Una scritta luminosa (verde) sul fondo, MAGIC CIRCUS, è il nome del locale. Improvvisamente una confusione nel buio e voci: «Arriva la mafia!» Ma è difficile scappare camminando sulla gommapiuma. (Il Magic Circus era un locale «psichedelico» di New York, una decina di anni fa molto frequentato, per turisti). Una strada sporca, piena di cartacce. Mi chino e vedo scorrere nella cunetta un liquido rosso. Mi dico che è soltanto acqua colorata, ma so benissimo che è sangue.

Porto Santo Stefano, 14-15 luglio

Il capannone di una fabbrica con tante macchine-utensili. Vicino a ogni macchina c'è un operaio in piedi. Io sono uno di questi operai e indosso come loro una tuta verde. Vicino a me c'è una delle tante macchine, ma io non so usarla, non so nemmeno a che cosa serva. Mi avvicino per leggere una scritta laterale: MOKA. Questo non chiarisce niente. Tutti gli altri operai (verdi) mi guardano, qualcuno ride.

Porto Santo Stefano, 15-16 luglio

Sto portando al pascolo il gregge su una montagna sassosa e sterposa. Per non perdere le pecore le ho costrette a ingoiare una lunga fune e cosí ora me le trascino dietro infilzate una dietro l'altra, come una fila di salsicce.

Porto Santo Stefano, 18-19 luglio

Sorvolo appeso a un ombrello una valle verdissima di prati e boschi. Il manico dell'ombrello ha alcuni comandi, ma mi aiuto anche con le mani tese che muovo come alettoni di guida. Scendo a bassa quota. Mi corrono incontro alcuni bambini su un prato per festeggiarmi, tocco terra con i piedi, rimbalzo leggero, tocco terra di nuovo, mi rialzo in volo sempre appeso al mio ombrello. Le voci festose dei bambini mi rallegrano. È un volo felice, leggero e senza meta nell'aria fresca della valle in fondo alla quale, sul prato, vedo ancora i puntolini colorati dei bambini.

Porto Santo Stefano, 23-24 luglio

Mi sto tagliando le unghie con le forbici, ma appena tagliate ricrescono veloci. Continuo a lavorare con le forbici mentre le unghie continuano a ricrescere.

Porto Santo Stefano, 24-25 luglio

Nel garage non c'è luce. Scendiamo dalla macchina io e Anna spegnendo i fari e ci troviamo al buio. La chiamo e lei non mi risponde. Cammino con le mani avanti e finalmente la trovo vicino al cancello. «Perché non mi hai risposto?» Mi dice sottovoce di seguirla su per la scala che porta alla nostra casa. La seguo in silenzio camminando come lei in punta di piedi. Arriviamo sul pianerottolo illuminato. La porta di casa non ha piú il solito pomello di ottone al centro, è stata sostituita con una porta di ferro. Chi ha sostituito la porta? E chi c'è in casa? Ecco che la porta si apre, ma non compare nessuno, chi l'ha aperta sta nascosto dietro. E la casa è al buio. Spaventati, cerchiamo di allontanarci in punta di piedi, ma uno sparo improvviso mi sveglia. (Stavo per scrivere *ci* sveglia perché nei brevi istanti del risveglio, nel percorso dal sonno-sogno alla veglia ho conservato la sensazione di essere in compagnia di mia moglie).

Porto Santo Stefano, 25-26 luglio

In una strada di campagna vicino a Pavona (Albano) incontro un cane nero che corre, poi un prete, un cavallo senza cavaliere, due uomini anziani con la cravatta e il cappello, un maiale, una ragazza magrissima in bicicletta. Vanno tutti nella direzione opposta alla mia. Proseguo e trovo in mezzo alla strada un tronco d'albero bruciacchiato che ancora fuma, forse è stato abbattuto da un fulmine. Piú avanti c'è una vecchia automobile abbandonata al margine della strada e, al volante, un uomo morto con il cappello in testa. Proseguo ancora e la strada diventa una scala in salita. Mi avvio su per la scala.

Porto Santo Stefano, 28-29 luglio

Entro nel campo di bocce delimitato da basse tavole fissate al terreno. Di fronte a me c'è una ragazza cinese nuda e una tartaruga. Un altoparlante scandisce: «Chi non riesce a cavalcare la tartaruga, cavalchi la padrona della tartaruga». Mi avvicino alla tartaruga e naturalmente ho molte difficoltà a «cavalcarla». Dopo alcuni infruttuosi tentativi mi avvicino alla Cinese nuda e la «cavalco» con grande piacere. A questo punto, sempre nel sogno, mi viene la preoccupazione che potrei dimenticare la vicenda della ragazza cinese e della tartaruga. «Ripasso» il sogno come una lezione e mi accorgo che lo ricordo perfettamente, compresi certi particolari insignificanti come la forma rettangolare dell'altoparlante o il colore nero delle tavole che delimitano il campo di bocce.

(D'estate teniamo nel campo di bocce della casa di campagna le tre tartarughe che per il resto dell'anno vivono nella terrazza di Roma. Inoltre due giorni prima siamo stati a fare visita ai nostri amici C. che hanno una casa in una pineta presso Castiglione della Pescaia dove girano in libertà numerose tartarughe).

Settecamini, 1-2 agosto

Mi accorgo con stupore che il gatto che gira in casa ha il pelo di cane, precisamente di pastore tedesco. Mi avvicino e mi accorgo che sotto il pelo circolano sulla pelle del gatto centinaia di pulci. Mi domando se le pulci dei gatti sono diverse dalle pulci dei cani e se queste sono pulci di cane o di gatto. Il gatto miagola e mi mostra i denti. Lo lascio andare e il gatto invece di allontanarsi *entra dentro di me*, viene cosí a far parte della mia persona. Controllo se ora per caso le pulci sono sulla mia pelle. Non ci sono.

Settecamini, 2-3 agosto

Una collina sassosa, con scarsa e arida vegetazione. È la zona dei «pozzarelli» nel comune di Porano vicino a Orvieto (i «pozzarelli», nonostante il diminutivo, sono degli enormi e profondi pozzi dai quali in tempi antichi si sono cavate le pietre basaltiche che servivano alla costruzione del Duomo di Orvieto e probabilmente anche di altri fabbricati). Mi avvicino a uno dei pozzi e mi affaccio. Si vede solo il nero profondo. Getto una pietra e aspetto il risuono. Non si sente niente, come se il pozzo fosse senza fondo. Ne getto un'altra e anche questa volta non sento niente. La cosa è molto strana e io penso: Dovrei buttarmi giú io per sapere la verità. Invece getto altre pietre.

Settecamini, 5-6 agosto

Ho fatto amicizia con un ghiro che mi segue ovunque. Entro nella libreria Feltrinelli davanti al Grand Hôtel e il ghiro entra con me. Si muove con agilità fra i piedi dei clienti che lo guardano meravigliati. Dico a C. C. che mi viene incontro per salutarmi: «È un mio amico», e lui risponde: «Per me va benissimo». Il ghiro salta su una pila di libri e ne fa cadere uno. Raccolgo il libro, è *Il fu Mattia Pascal* di Pirandello. Lo rimetto a posto. Il ghiro incomincia a squittire e io mi decido a uscire dalla libreria per non innervosire i clienti.

Settecamini, 6-7 agosto

Una strada vicina al porto di New York. Un grosso autocarro verde con rimorchio viene avanti galleggiando sull'acqua, attraversa la strada e entra in un garage, un antro nero il cui ingresso è riquadrato da enormi travi di ferro. Non capisco come l'autocarro sia passato dall'acqua alla strada e da qui al garage superando l'ostacolo della banchina. Guardo la strada attraversata dall'autocarro e non è nemmeno bagnata. La cosa mi sembra tanto strana e chiamo Anna per sentire se lei ha una spiegazione. Anna mi risponde: «Guarda che io sono a Roma, ti sei dimenticato che sei partito da solo». Pazienza, cerco un taxi per andare via non so dove.

Settecamini, 7-8 agosto

Tra la fine di via del Corso e piazza del Popolo c'è un grande arco. Al di là dell'arco, sul pavimento della piazza giace un serpentone arrotolato, enorme e tozzo. Per fortuna c'è il suo padrone, un uomo massiccio che si avvicina al serpentone e lo accarezza, gli parla sottovoce. Il serpentone incomincia a srotolarsi, si distende e invece di uno si vede ora che erano due, ma non sono nemmeno dei serpenti, sono animali a forma allungata con le gambe molto corte. L'uomo dice che sono due dromedari appena nati. Li accarezza ancora, si lascia leccare la faccia, lecca lui stesso il muso degli animali. Poi mi si avvicina e dice: «Pensaci tu». Mi inginocchio a terra vicino ai due animali, li accarezzo, anch'io mi lascio leccare la faccia, poi mi incammino per il Corso e loro mi seguono. Ma stentano a camminare, sono lentissimi, ogni tanto si fermano. Poco piú su del cinema Metropolitan c'è fermo un grosso furgone con le pareti di vetro e dentro ci sono Pulcinella e Arlecchini che giocano. Faccio segno all'autista del furgone di avviarsi lentamente cosí gli animali, attratti dagli Arlecchini e Pulcinella, cammineranno un po' piú spediti. Faticosamente i due animali arrivano fino alla strada laterale dove si trova l'ospedale San Giacomo, svoltano e finalmente si fermano davanti all'ingresso dell'ospedale. Qui c'è il padrone degli animali che li aspetta e li conduce dentro.

Settecamini, 8-9 agosto

Una villa in mezzo a un prato, bianchissima, cosí bianca in tutte le sue parti che non si vedono né le porte né le finestre. Voglio entrare ma batto la testa contro un muro, forse le porte e le finestre non ci sono proprio, forse è un parallelepipedo bianco, un trucco, una trappola. Meglio andarsene. Salgo su una automobile enorme, grande dieci volte, insieme a un gruppo di ragazzetti e ragazzette che fanno grande schiamazzo. La macchina è cosí alta che le ruote superano i fossi, le siepi, scavalcano gli alberi, ma ondeggia come una nave sulle onde. Leggo le targhe sparse nella campagna: CITTÀ DI CASTELLO, VERONA e poi improvvisamente PEKINO. Strano, mi dico, non sapevo che Pekino fosse da queste parti. Proseguo con la Grande Automobile e trovo: LEONE, forse si tratta di un errore per LIONE. Leggo altre targhe e i ragazzetti si divertono come pazzi, io un po' meno perché devo guidare e la macchina ondeggia paurosamente. Ogni tanto uno dei ragazzetti cade e devo fermarmi per raccoglierlo e rimetterlo sulla macchina. «Se non state piú attenti vi lego tutti quanti!» Premo l'acceleratore per superare una salita molto ripida. Mi volto e vedo che la macchina lascia dietro di sé una scia di fumo nero e denso.

Settecamini, 9-10 agosto

Sono sicuro che le carote fanno ridere. Guardo una carota e mi metto a ridere. Strano che non facciano lo stesso effetto anche agli altri. Interrogo D. F., un amico francese che è venuto a trovarmi in campagna, ma non ride e sembra anzi preoccuparsi per me che rido. Io insisto, dico che ho trovato il comico «in natura», ma l'amico se ne va via con le mani nei capelli.

Settecamini, 10-11 agosto

Affacciato al finestrino del treno osservo il binario vuoto della seconda linea. Sopraggiunge un treno che corre nella stessa direzione nostra, velocissimo, e supera il treno sul quale mi trovo. Ma improvvisamente si sente uno strappo di accelerazione e anche il mio treno aumenta la velocità fino a raggiungere l'altro che ci aveva superati. I due treni corrono pazzamente uno a fianco all'altro. Dal finestrino vedo i passeggeri del treno parallelo che a loro volta guardano verso di me preoccupati. Il treno sul quale mi trovo corre cosí veloce che non si sente nemmeno il rumore delle ruote, sembra che voli sui binari senza toccarli. A un finestrino del treno parallelo vedo ora una ragazza che si spoglia e rimane completamente nuda. Vorrei raggiungerla ma non so come fare. La ragazza mi fa dei gesti di invito e io le faccio un segno con la mano che significa *dopo*. Ma ora il mio treno perde velocità, la ragazza nuda si allontana. Mi ritiro dal finestrino e mi siedo al mio posto. Di fronte a me c'è mia madre sorridente, mi dice: «Sono contenta che ritorni a casa cosí potrai riposarti».

Settecamini, 11-12 agosto

Dove mi condurrà questa linea retta segnata sulla terra? Corro in mezzo alla campagna seguendo una sottile linea rossa che supera prati e boschi e terreni scoscesi in salita e in discesa, sempre in direzione dell'orizzonte. Farò il giro del pianeta e ritornerò sui miei passi, oppure seguirò una traiettoria non euclidea secondo le grandi geometrie di Einstein? In questo caso dove andrò a finire? Mi faccio delle domande mentre continuo a correre lungo la sottile linea rossa.

Settecamini, 12-13 agosto

Un vecchio barbuto viene a sedersi vicino a me nella grande sala d'attesa dell'aeroporto di Fiumicino e mi dice: «Ho un problema: mio padre è morto a venticinque anni, io ne ho ottantotto. Quando lo incontrerò nell'aldilà sarò imbarazzato di trovarmi di fronte un padre molto piú giovane di me». Non so che cosa dirgli. Il vecchio dice ancora: «Fra poco prendo il volo». Sto per rispondere «anch'io», ma mi trattengo in tempo e dico: «Io sono qua solo per chiedere delle informazioni». E il vecchio: «Sull'aldilà?» Mi spazientisco e dico che questo è un aeroporto, niente altro che un aeroporto. Il vecchio mi guarda con compatimento e ride.

Settecamini, 17-18 agosto

Sto guidando un grosso autocarro Tir sulla autostrada in direzione di Orvieto. Mi fermo a una piazzola di sosta e scarico il contenuto dell'enorme cassone: sabbia. Dalla sabbia scaturisce anche un cavallo montato da un cavaliere con mantello bianco che si allontana al galoppo nella campagna.

Settecamini, 18-19 agosto

Ho in mano un triangolo di cartone ma non oso posarlo a terra perché mi hanno detto che in quel caso dovrei pagare una tassa per occupazione di suolo pubblico. Però non posso passare tutta la vita con questo triangolo in mano, dovrò pure decidermi a posarlo. Decido di posarlo sull'acqua di un lago perché spero cosí di sfuggire alla tassa o comunque di pagare meno. Vado alla ricerca di un lago.

Settecamini, 20-21 agosto

Fuori c'è un gran vento che sibila e scuote le finestre della casa di campagna. È notte, mi alzo dal letto e cerco di accendere la luce. Non si accende. Scendo le scale al lume di una candela per controllare il quadro degli interruttori che sta al piano terra. Qui trovo, posata sul tavolino del telefono, una strana macchina nera composta di vari elementi collegati fra loro con dei fili e con il quadro elettrico per mezzo di un tubo flessibile anch'esso nero. «Ecco, – mi dico, – è questa macchina che mangia l'elettricità». Mi raggiunge il cane e anche lui osserva al lume della candela la macchina nera che fa uno strano ronzio appena percettibile. Il cane mi guarda e mugola. Io non oso toccare la macchina e del resto non potrei fare niente perché tutti i meccanismi pulsano sotto un rivestimento chiuso da ogni parte, senza spiragli. Risalgo le scale rassegnato.

Settecamini, 21-22 agosto

Una specie di grande tronco d'albero, di ferro. Al posto dei rami ci sono uomini, una decina, attaccati al tronco dalla parte dei piedi e sostenuti con cinghie di cuoio. Tengono le braccia aperte come se fossero rami e i diti aperti come rametti senza foglie. Non voglio finire appeso al tronco di ferro anch'io e rimanere esposto al vento, alla pioggia, al sole. Scappo via su un prato molto verde in leggera discesa.

Settecamini, 22-23 agosto

Sono coinvolto in loschi terrorismi, cerco di uscirne. In un viale alberato (Roma, zona del Policlinico) c'è una utilitaria che mi aspetta con il motore acceso e la portiera socchiusa. Un uomo al volante e una ragazza al suo fianco. Mi avvicino, apro la portiera e punto la pistola alla nuca dell'uomo. Passano pochi istanti e qualcuno alle mie spalle mi punta a sua volta una pistola alle costole. Con la sinistra estraggo un'altra pistola e la punto contro la ragazza seduta a fianco dell'uomo. Questa a sua volta mi punta una pistola al petto. Restiamo tutti immobili con le pistole puntate, in una situazione insostenibile. Ho chiara coscienza del ridicolo e penso che questa è una situazione alla Ridolini, vorrei mettermi a ridere e dire «abbiamo scherzato» ma non oso. Non si sa mai che a uno di questi gli venga in mente di sparare. Intanto si sta avvicinando sul marciapiede un gruppo di ragazzetti. L'uomo al volante è il primo che ritira la pistola e tutti facciamo altrettanto. Ne approfitto per incamminarmi insieme ai ragazzetti giocando con loro, confondendomi con loro.

Settecamini, 23-24 agosto

Nel sonno sento «squittire» il telefono piú volte. Mi sveglio di soprassalto, vorrei rispondere, ma nella realtà il telefono è rimasto muto: allora si trattava di un sogno.

(Gli squilli (squitti) del telefono, molto «realistici», non erano accompagnati da immagini).

Settecamini, 26-27 agosto

La peste a Roma. Un mucchio di cadaveri vicino alla Chiesa Nuova in corso Vittorio. Un uomo grande, malvestito, afferra un cadavere e lo fa scivolare in piedi giú per un tombino che si apre sul selciato. Dopo questo altri cadaveri presi dal mucchio. Presso al tombino c'è una apertura piú larga dalla quale si scende in un sotterraneo. Scendo e trovo un altro uomo addetto alla sistemazione dei cadaveri, è grande, sdentato, con un cappellaccio in testa, assomiglia molto a E. S. ma non è lui. Ora l'uomo risale per prendere il posto di quello che lavora in superficie mentre quello scenderà a sistemare i cadaveri nelle fogne.

(È stata ristampata da poco *La peste di Londra* di Defoe e ne ho parlato la sera prima con P. M. che è venuto a trovarmi in campagna).

Settecamini, 27-28 agosto

Seduto su una pietra sto tracciando dei segni nella sabbia con un bastoncello. Mi trovo nella necessità di calcolare la superficie di un terreno sul quale dovrà sorgere un fabbricato a base circolare. Mi domando perché non continuano a fare altre piramidi come quelle che vedo all'orizzonte, invece di questo fabbricato circolare. Devo rendere conto al Faraone della esatta superficie che occuperà la nuova costruzione, ma le regole per calcolare con esattezza una superficie circolare non si conoscono. Sono esperto nel calcolo delle superfici, ho anche gli strumenti per misurare i terreni, righe e compassi, ma questa volta mi trovo di fronte a un problema insolubile: i calcoli che si fanno sono approssimativi, mentre il Faraone vuole il calcolo esatto. Gioco con i miei bastoncelli, i miei strumenti, fino a quando riesco a trovare una soluzione. Entro in un laboratorio di metalli. Un fabbro ritaglia per me, da una lastra di metallo di spessore perfettamente uniforme, una superficie tonda e poi una superficie quadrata che press'a poco si equivalgono. Metto le due forme di metallo su una bilancia e poi le riduco con la lima allo stesso esatto peso: a questo punto ho un quadrato e un tondo che hanno la stessa identica superficie. Calcolata con facilità la superficie del quadrato, vengo a conoscere anche quella del tondo. Fatto questo, calcolo il rapporto fra il lato del quadrato e il diametro del tondo e questo rapporto è la regola per calcolare in futuro con assoluta precisione la superficie del cerchio. *Ho realizzato nientemeno che la quadratura del cerchio.* Soddisfatto della mia scoperta sensazionale, mi appresto a comunicarla al Faraone.

(Questo è forse uno dei pensieri piú complessi che io abbia elaborato in sogno. Il pensiero ha comunque un precedente in una idea suggeritami dalla lettura, avvenuta qualche tempo prima, del libro *La matematica delle civiltà arcaiche* di Livia Giacardi e Silvia Clara Roero, nel quale mi aveva molto stupito il modo approssimativo di calcolare la superficie del cerchio degli antichi Egiziani, peraltro noti per le loro sofisticate cognizioni matematiche. La mia *quadratura del cerchio* ha in realtà una sua verosimiglianza anche se si tratta di un escamotage).

Settecamini, 29-30 agosto

Mi dibatto affannosamente per liberarmi dal groviglio di fili che mi avvolgono come se fossi prigioniero dentro un gomitolo. La sensazione è di affanno, di soffocamento e impedimento nelle gambe e nelle braccia che continuano a muoversi con fatica. Ormai faccio parte del gomitolo, sono un unico corpo insieme al gomitolo. A tratti mi trovo con la testa in basso e la sensazione di soffocamento progredisce generando uno stato di impotenza angosciosa, di dolore diffuso, di febbre.

(È anche questo un sogno che si ripete nel corso degli anni e che spesso coincide con stati febbrili o comunque disagi fisici o nervosi).

Settecamini, 1-2 settembre

Il mio amico A. A. mi guarda dal teleschermo e pretende di fare conversazione da lí. Dico: «Perché non vieni fuori e ti siedi qua con noi?» Sono seduto nel soggiorno della casa di Roma con due amici italiani e una amica di Zurigo. Dico ancora: «Vieni, c'è anche A. V.», ma lui insiste che vuole restare là dentro. «Forse c'è qualcosa che ti impedisce di uscire?» Lui risponde laconico: «Posso, ma non voglio». Nel soggiorno c'è anche A. G. che propone di non rivolgergli la parola se non esce, ma la soluzione non lo soddisfa: si alza di scatto e va a spegnere il televisore. L'amico A. A. scompare.

Settecamini, 2-3 settembre

Sto svolazzando su un elicottero insieme a tre o quattro persone. Non è chiaro lo scopo del volo, ma dobbiamo raggiungere un gruppo di studiosi che ci aspettano sulla montagna in mezzo al bosco. La montagna è molto ripida e per salire sul fianco dove stanno gli altri il pilota fa alcune manovre un po' brusche. Si continua a salire quasi in verticale. Mi distraggo a guardare il panorama proprio mentre il pilota esegue una impennata molto brusca. Perdo l'equilibrio e volo fuori dal portello scavalcando la cinghia tesa di traverso. Vado a cadere nel bosco senza farmi nemmeno un graffio. Mi rialzo subito e mi incammino in salita. A pochi passi da dove sono caduto c'è una vecchia scalinata di pietra coperta di muschio e in cima alla scalinata fra il verde degli alberi si intravede un antico fabbricato, forse un convento. Salgo la scalinata e all'ingresso del convento trovo il pilota dell'elicottero con gli altri passeggeri. Mi domandano se mi sono fatto male nella caduta. «Neanche un graffio, – rispondo, – non è la prima volta che cado dall'elicottero». Infatti sono caduto *altre due volte*, ma non mi va di precisarlo. Entriamo tutti insieme nel convento, scendiamo alcuni gradini e ci troviamo in una specie di refettorio dove gli altri «invitati» sono seduti intorno a un tavolo. Riconosco fra questi U. E. e vado a sedermi vicino a lui. Ci scambiamo le nostre impressioni sulla «situazione chiusa» in cui ci troviamo. «Infatti,

– dice l'amico, – non si fanno programmi e non si parla della visita alla cava». «Forse vogliono che ci facciamo frati», dico io vedendo un frate che cammina avanti e indietro nella stanza in penombra come se ci stesse sorvegliando. Tutto può essere e a questo punto mi viene il sospetto di essere dentro a un sogno, ma non lo dico per non apparire ridicolo. Poco alla volta si fa buio e si spegne il sogno mentre continuo a dormire.

Settecamini, 5-6 settembre

Una giovane zingara mi ha afferrato la mano per leggermi il futuro. Io cerco di liberarmi, ma lei la trattiene con forza. Poi estrae un temperino per «correggere» le linee e traccia sul palmo nuovi segni che subito si arrossano di sangue.

Settecamini, 6-7 settembre

Sogno di svegliarmi e di trovare sul tavolino vicino al letto un certo numero di bottiglie con etichetta giallo-arancione. Esamino le etichette e mi accorgo con meraviglia che ogni bottiglia, regolarmente sigillata, porta una scritta che si riferisce a una battaglia, a un avvenimento o a un personaggio storico. Su una etichetta sta scritto TEANO, su un'altra CAVOUR, su un'altra WATERLOO, su un'altra CURTATONE E MONTANARA e cosí via. Prendo alcune bottiglie e le guardo controluce: il liquido che contengono varia di colore dall'una all'altra. Non credo che si tratti di una bevanda anche se le bottiglie hanno la forma, l'etichetta e il tappo esattamente come quelle che contengono il vino. Qualcuno ha «imbottigliato la storia» come se fosse vino. Mi rimetto a dormire, sempre nel sogno.

Settecamini, 7-8 settembre

Uno scontro di automobili sull'autostrada, rumorosissimo: scoppi, boati, clacson, sibili di gomme. E molto fumo e polvere che si alzano dal groviglio di macchine. Io sono in mezzo alle lamiere, la mia mente è lucida ma non so in che stato sia il mio corpo, le mie gambe, la mia testa. Una lamiera è penetrata nella mia pancia, ormai *fa parte del mio corpo* e io l'accetto appunto come parte del mio corpo. Altri uomini e donne stanno sotto e dentro i rottami, ma nessuno si lamenta, tutti sembrano accettare il disastro come un evento naturale. E altre macchine arrivano e vanno a schiantarsi nel groviglio. Tutto questo con rumore assordante, ma anche con una certa lentezza come se i fatti si svolgessero al rallentatore.

Settecamini, 8-9 settembre

Tengo in mano una copia dell'«Espresso» e con un fiammifero acceso tento inutilmente di appiccarvi il fuoco. Niente da fare, la carta non brucia. Questa di usare carta ininfiammabile è una grande furbizia dell'editore, ma io *ho scoperto il suo segreto*.

Settecamini, 9-10 settembre

Sono a letto con la Grande Cicciona (un personaggio che altre volte ho incontrato nei miei sogni). Questa ragazzona grassa ha la pelle bianchissima e la carne molle come gommapiuma, vi sprofondo *dentro* e devo fare degli sforzi per non restarvi imprigionato. Nello stesso tempo ho una certa curiosità di conoscere l'interno della Grande Cicciona. Vi affondo le mani, la testa, penetro interamente nel suo corpo molle e grandissimo e mi dico che questa è la piú strana scopata della mia vita.

Settecamini, 10-11 settembre

Di un sogno totalmente dimenticato rimane solo la sensazione di precipitare nel vuoto e il risveglio improvviso.

Settecamini, 11-12 settembre

Raccolgo dell'erba in un prato strappandola con le mani e la metto dentro una valigia. Quando la valigia è piena la richiudo premendo il coperchio con il ginocchio, poi la carico sulla macchina e parto. Sull'autostrada ho paura che mi fermi la polizia stradale, sto sudando, mi asciugo con la mano il sudore dalla fronte. Al casello di uscita, mentre pago mi accorgo che mi tremano le mani e temo che se ne accorgano. Finalmente percorro la Salaria, la strada Olimpica e poi il Lungotevere deserto. Arrivo sotto casa, scarico la valigia e mi accorgo che qualcuno mi sta osservando da una finestra. Cerco di far presto, prendo l'ascensore e arrivo all'ultimo piano dove abito. Suono il campanello e dopo qualche istante si apre la porta e mi trovo davanti un carabiniere. Domando: «Chi mi ha tradito? Chi ha fatto la spia?» Alle spalle del carabiniere c'è Anna che apre le braccia rassegnata. Il carabiniere mi prende di mano la valigia e mi fa entrare con una spinta richiudendo la porta. Mi sveglio.

Settecamini, 14-15 settembre

In una stanza buia si accende una scritta rossa: TILT. Si spegne e si riaccende varie volte. Seduto sul pavimento, nel buio sto accarezzando il corpo di una ragazza nuda. Il buio è totale anche quando è accesa la scritta rossa. Immagino che la ragazza sia negra.

Secondo sogno. Una strada di Monte Mario di sera, poco illuminata. La sto percorrendo in automobile a retromarcia. La strada è in salita, a curve, e perciò devo stare attento a non urtare le macchine parcheggiate lungo i marciapiedi. Arrivo davanti a un cancello, mi fermo e scendo dalla macchina. Entro dal cancello camminando all'indietro e ridendo come se facessi un gioco. A fatica incomincio a salire uno a uno i gradini che conducono alla porta d'ingresso di un palazzo moderno dove abita qualcuno che conosco. Nel salire i pochi gradini perdo l'equilibrio e cado svegliandomi improvvisamente.

Settecamini, 15-16 settembre

L'astronomo Lalande mangiava ragni. Do la caccia ai ragni inseguendoli nella casa di Settecamini, mangio un ragno dopo l'altro, tanti, anche qualche millepiedi. Voglio *diventare Lalande* e sono sicuro di diventarlo mangiando ragni. Non ho dubbi sul risultato dell'operazione, ma devo mangiarne tantissimi fino a quando *sarò Lalande*.

(La mattina dopo vado a leggere una lunga voce biografica su una enciclopedia dell'Ottocento. Finalmente, dopo molte pagine sull'astronomo e la sua astronomia, leggo in una nota: «Negli ultimi suoi anni, e fino al 1789, Lalande affettava di mangiare con gran gusto ragni e bruchi: il fatto parrà incredibile, ma si può vederne la prova e le particolarità nell'*Araneologia* di Quatremère-Disjonval. Se ne vantava come d'un tratto filosofico: voleva che si buttassero da parte i pregiudizi, e per guarire madame Lapaute da uno spavento assai incomodo, l'aveva abituata, per gradi, a vedere, a toccare, a trangugiare un ragno». Da notare che Lalande smette di mangiare ragni nel 1789, l'anno in cui scoppia la Rivoluzione francese).

Roma, 18-19 settembre

Viene a trovarmi Giosuè Carducci. Ha barba lunga, voce profonda, occhi lampeggianti, ma sembra reggersi male sulle gambe. Lo conduco al piano di sopra e gli mostro nella libreria i due volumi delle *Poesie* e *Prose* rilegati in tela arancione. Spero non si accorga che molte pagine non sono state tagliate, ma è cosí soddisfatto di avere trovato i suoi libri in casa mia che non fa caso alle pagine. Vuole uscire in terrazza e io lo accompagno e gli faccio vedere la cupola di Santa Agnese del Borromini e quella della chiesa della Pace. Mi pare ben disposto verso di me, sorride, mi batte una mano sulla spalla, ma io non so che cosa dirgli e spero che salga Anna per togliermi dall'imbarazzo, per aiutarmi a imbastire una conversazione. Ci sediamo in silenzio e guardiamo i piccioni che volano intorno alla cupola del Borromini.

Roma, 19-20 settembre

Apro e chiudo un coltello a serramanico. Ogni volta che la lama rientra con uno scatto si sente il suono di un campanello. Faccio la prova molte volte per capire se il suono è casuale o se è dovuto a un congegno. Mi accorgo che il campanello non è *dentro* il coltello ma *fuori*, nell'aria, nelle vicinanze. Mi sveglio allo squillo del telefono.

Roma, 20-21 settembre

Viale Mazzini a Roma. Un amico mi conduce fin sotto uno dei grandi lecci potati a cubo e mi dice: «È questo». Ci guardiamo intorno perché nessuno ci veda e poi l'amico si arrampica lungo il tronco e mi aiuta a salire dicendo che in seguito potrò usare una scala di corda. Dentro al fogliame l'amico apre una porta e entriamo in una stanza molto confortevole e bene arredata con mobili antichi e tappeti sul pavimento. «Qui non ti trova piú nessuno», dice l'amico. Io faccio qualche obiezione perché la sede della televisione sta sulla stessa strada, ma lui mi suggerisce di entrare e uscire prima o dopo gli orari di ufficio per non correre il rischio di incontrare i televisivi. Penso di portarmi dei libri da leggere, comprerò una scala di corda per salire e scendere, qualche riserva alimentare. «L'acqua c'è», dice l'amico e mi spiega che hanno fatto passare il tubo lungo il tronco insieme ai fili della corrente elettrica. Su un mobile c'è anche una grande lente con il manico, utilissima per *vedere le cose da vicino*.

Settecamini, 21-22 settembre

Tre o quattro piste rivestite di acciaio dentro le quali scivolano velocissime, come nelle gare di bob, delle comode poltrone. Prendo posto su una di queste per la prossima corsa, mi allaccio la cintura come in aereo e parto velocissimo insieme ai concorrenti. Non so come finisce la gara perché durante la corsa *perdo la coscienza di me stesso*, e cioè ritorno nel sonno senza sogni.

Settecamini, 22-23 settembre

Ancora un sogno intitolato. Il titolo è: *Mafia*. Questa è anche l'insegna metallica di un piccolo e austero fabbricato fra largo Chigi e piazza San Silvestro nel centro di Roma. Dovrei entrare e far saltare il palazzetto perché *io sono una bomba*. Cammino avanti e indietro sul marciapiede, indeciso se entrare o no. Finalmente entro in una gelateria e chiedo un gelato di caffè. Il cameriere mi dà il gelato, lo assaggio e mi accorgo che è di nocciola. Protesto, ma il ragazzo dice:

«Il colore è quasi uguale». Guardo il gelato e mi accorgo che *si muove*, infatti è pieno di vermi. Il ragazzo si mette a ridere mostrando una bocca sdentata, orribilissima. Esco dal negozio disgustato, spaventato.

Roma, 23-24 settembre

Sto volando su un paesaggio in penombra, senza colori, lontano. Sto volando ma non ho le ali e *mi accorgo di non avere nemmeno il corpo*. Tuttavia ho una chiara coscienza di me stesso, *sono io*. Mi ripeto che sono io e non un altro mentre continuo il mio volo e guardo il paesaggio monotono sotto di me. Scendo a quote piú basse, ma non riesco a riconoscere sulla superficie grigia né una casa né un albero né altri segni di vita. Il mio volo si svolge nel vuoto e nel silenzio. La sola domanda che mi pongo è: Dove sono gli altri? Non so dare una risposta a questa domanda e continuo a volare alla ricerca degli *altri*.

Roma, 24-25 settembre

I negozi di via del Lavatore hanno porte o vetrine secondarie su una stradina parallela. Da qui vedo il negozio di macelleria condotto dal capo della malavita locale. Scendo a piazza Fontana di Trevi e risalgo via del Lavatore fino alla vetrina principale della macelleria. Qui estraggo una lunga pistola e sparo a bruciapelo al macellaio facendolo secco. Non pretendo nemmeno di sottrarmi all'arresto e mi lascio accompagnare via tranquillamente dai carabinieri. La gente della zona mi conosce, tutti mi guardano con curiosità e i due carabinieri mi domandano che effetto mi fa l'arresto. Alzo le spalle e allora mi fanno notare che non mi hanno messo le manette. Io dico «grazie» e mi lascio condurre sul furgoncino. Vengo portato in una fattoria che si trova nella zona alta fra largo Santa Susanna e Porta Pia. Una casa di campagna bellissima, con tappeti, larghe vetrate, mobili antichi e tutto intorno dei prati. Un carabiniere mi dice che il macellaio era molto amato nel quartiere. Io non gli do retta perché sono intento a sistemarmi nella «prigione» che mi piace moltissimo.

(Via del Lavatore è molto vicina a via della Dataria dove ho abitato per molti anni).

Roma, 25-26 settembre

Sono seduto con Anna a un tavolino all'aperto di un grande bar in via Arenula dove, nella realtà, c'è una cartoleria. Mi si avvicina, piccoletta e piú giovane di quanto non sia oggi, M. G. vestita di bianco. Mia moglie non vede di buon occhio il suo arrivo. Ma piú in là c'è un'altra M. G. identica alla prima che ci sta guardando, si avvicina al nostro tavolo e, insieme all'altra, ci gira intorno facendo qualche sorriso. Dall'altra parte del marciapiede una terza M. G. sta rientrando nel palazzo dove abita. «Quante sono?» domanda mia moglie. Rispondo che è una sola. «Ma allora perché ne vediamo tre?» Non so che cosa rispondere.

Roma, 26-27 settembre

La cabina di comando è angusta come quella di un aereo, con centinaia di leve e quadranti luminosi. Il velivolo sul quale mi trovo si muove con scatti improvvisi in tutte le direzioni, agilissimo e silenzioso, a seconda delle leve che tocco. Mi rendo conto di trovarmi all'interno di un Ufo. Chissà da dove vengo, chissà dove vado. Me lo domando angosciato. E sopratutto *chi sono*? Mi guardo i diti verdastri e senza unghie. Ho un brivido di orrore.

Roma, 27-28 settembre

Sfoglio un grosso libro, un vocabolario, e da ogni pagina aperta volano via tre quattro cinque farfalle di colori diversi. Sono sorpreso e felice, chiamo Anna e i figli e dico di salire che c'è una bella cosa da vedere. Intanto continuo a sfogliare il vocabolario e la stanza poco alla volta si riempie di farfalle.

Roma, 28-29 settembre

Cammino in una strada centrale di Roma, potrebbe essere via del Tritone, ma con qualche differenza. Per esempio non ci sono i marciapiedi e il fondo stradale è leggermente avvallato al centro. La gente cammina rasente ai muri, quasi strisciandosi, come se temesse di essere investita. Ma il centro della strada è vuoto. Un vuoto pieno di attesa, come se da un momento all'altro dovesse passare un uragano.

Roma, 3-4 ottobre

Roma deserta. Cammino al centro di una grande strada (potrebbe essere ancora via del Tritone), inseguito da un esercito di formiche fameliche, una marea nera che avanza inesorabile occupando la strada da un capo all'altro. Cerco di correre per sottrarmi alle formiche (vogliono mangiarmi) ma le gambe sono impedite come se camminassi dentro l'acqua, cerco di aiutarmi anche con le braccia. Le formiche avanzano, si avvicinano sempre piú, non c'è nessuno che venga in mio aiuto. Una donna si affaccia a una finestra e mi guarda con indifferenza, mi pare anzi di sentire una risata dall'alto. Quando ormai le formiche stanno per raggiungermi, finalmente mi sveglio.

Secondo sogno. Sto guidando sull'autostrada del Sole verso il Nord. Al mio fianco c'è A. P. che sta guardando il paesaggio. «Che ora fai?» domando. «Le tre». Guardo il mio orologio, faccio le tre anch'io. «Tre e tre sei, – dico, – alle otto è buio, bisogna sbrigarsi». Premo l'acceleratore per aumentare la velocità.

Terzo sogno. Da una cornice appesa al muro si affaccia August Strindberg con i capelli arruffati e gli occhi lampeggianti. Mi dice: «Sono pazzo e sono contento di essere pazzo!» Mi allontano borbottando: «Arrangiati».

Roma, 4-5 ottobre

Gruppetti di persone parlottano animatamente in via Condotti davanti al caffè Greco. Mi avvicino, ma non riesco a capire che cosa dicono. Allora mi rivolgo a un uomo con il cappello in testa e gli domando se è successo qualcosa. L'uomo risponde: «È passato D'Annunzio».

Roma, 5-6 ottobre

Su una collina brulla passano velocissime piccole nuvole bianche rasentando il terreno. Una nuvola mi investe in pieno e mi getta a terra. Un'altra nuvola sopraggiunge e mi sfiora appena mentre tento di alzarmi. Cerco di raggiungere un masso per mettermi al riparo, ma altre due nuvolette bianche mi colpiscono gettandomi a terra con violenza. Altre nuvole sono in arrivo, ho battuto un ginocchio, zoppicando e trascinandomi carponi cerco un riparo qualsiasi. Le nuvole passano sopra la mia testa sibilando, mi copro la testa con le mani e continuo a avvicinarmi al masso. Sento delle risate che vengono dal cielo. Alzo lo sguardo e vengo colpito in faccia da una nuvola minuscola ma velocissima che mi storce il collo e mi fa lacrimare gli occhi. Piango disperato mentre dal cielo sento altre risate.

Bardi, 6-7 ottobre

Due uomini giganteschi in costume da bagno mi osservano severi mentre sto camminando scalzo, anch'io in costume da bagno, su un vialetto cosparso di brecciolino tagliente che mi fa sanguinare le piante dei piedi. Soffro terribilmente e cammino piegando i ginocchi. Arrivato in fondo al vialetto uno dei due uomini mi fa segno di rifare il percorso nell'altro senso e, arrivato all'altro capo, c'è il secondo uomo che mi fa ritornare indietro. È una punizione, ma per che cosa? I due omaccioni non parlano. Io continuo a camminare avanti e indietro con le lacrime agli occhi per il dolore e ogni tanto getto uno sguardo, al di là del vialetto che corre lungo il retro di basse casette marine, alla spiaggia e all'acqua dove andrei volentieri a immergere i piedi sanguinanti.

Bardi, 7-8 ottobre

Ho inventato la ricetta per scrivere favole. In una pentola di terracotta metto un po' di miele, della farina di grano, acqua, e un paio di forbici. Mescolo con un cucchiaio fintanto che le forbici si sciolgono e formano un liquido denso e giallastro. Intingo la penna in questo liquido e la mano corre e scrive la favola fino all'ultima riga.

(Non ricordo il testo della favola, ma credo di avere avuto soltanto la sensazione generica di scrivere una favola senza elaborare un testo vero e proprio).

Settecamini, 10-11 ottobre

Un prato verdissimo sulla cima di un monte (potrebbe essere Monte Cucco vicino a Berceto sull'Appennino Emiliano). Sto raccogliendo dei cardi freschi per mangiarne il «cuore». Ho con me un temperino e ogni tanto mi siedo, poso sull'erba il mazzo dei cardi raccolti e ne mangio la polpa interna di sapore asprigno, simile al carciofo. Poi ricomincio la raccolta, mi pungo le mani ma sopporto il dolore e continuo a «volare» da un fiore all'altro (come un'ape). Mi affretto perché laggiú in fondo al prato c'è un gruppo di gente che avanza raccogliendo i cardi e so già che dove passeranno loro non ne troverò piú nemmeno uno.

Roma, 14-15 ottobre

Sto leggendo un libro, quando sento in fondo al soggiorno un sibilo strano. Alzo gli occhi e vedo che i fogli volano via dal mio tavolo e vengono risucchiati dal camino. Corro a mettere dei pesi sulle mie carte ma il risucchio è fortissimo, porta via i giornali, trascina in terra i libri. Esco in terrazza e con una scala salgo sul tetto dove sono sparsi i fogli risucchiati dal mio tavolo. Li raccolgo camminando gattoni sulle tegole per paura di precipitare in strada. Dal tetto, con il pacco dei fogli in mano, vedo il panorama della città che sembra in guerra. Qua e là fumate nere accompagnate da esplosioni. Scendo in fretta nel timore che qualcuno mi prenda di mira, e mi rifugio in casa.

Secondo sogno in continuità con il primo, senza avvertire il «salto» di ambiente. Vado a posteggiare un furgoncino nuovo all'angolo di una strada di Monte Mario, nella zona dove è avvenuto il rapimento di Moro. Un grosso camion nel fare la curva monta sul marciapiede con una ruota posteriore. Temo che qualcuno possa urtare il mio furgoncino nuovo, mi metto al volante e faccio una marcia indietro in discesa a motore spento. Il furgoncino corre, prende velocità. Per frenarlo faccio una curva a U verso la salita. Prima di fermarmi investo degli alberelli di sambuco che si spezzano. Mi indugio a osservare i piccoli tronchi di sambuco, fragilissimi.

Roma, 15-16 ottobre

Ancora un sogno con il titolo: *Camorra*. Ma il sogno pare non corrispondere al titolo. Un castello mezzo diroccato con un uomo a cavallo che si avvicina lentamente sotto il sole. Io lo aspetto sull'ingresso e quando il cavaliere mi è vicino mi accorgo che si tratta di un vecchio cencioso e che il cavallo ha la bava alla bocca. Il vecchio mi mostra un foglio piegato in quattro con una scrittura fitta fitta che non riesco a leggere. L'uomo mi fa pena e lo lascio passare senza leggere il foglio. Passato il vecchio tiro fuori dalla tasca un baccello di carruba e incomincio a masticare. Nel portare alla bocca il cibo osservo le mie mani: *sono le mani di un vecchio*, grinzose, coperte di peli bianchi. Rabbrividisco. La sensazione è che tutto avvenga in un'epoca molto lontana, evocata dalle pagine di un libro di storia.

Roma, 16-17 ottobre

Percorro a piedi il litorale fra Sperlonga e Terracina. Tutta la zona è stata acquistata dagli Arabi e da certi preti libici, ricchissimi, che l'hanno completamente trasformata. Infatti si cammina su un marciapiede soprelevato dal quale si vede giú in basso la spiaggia anch'essa in parte coperta e in parte piantata a palme. Tutto pulitissimo, ordinato, lussuoso. I preti libici, che indossano mantelli ricamati d'oro e portano in testa grandi cappelli di forma cubica con frange dorate che scendono sulle orecchie, sono gentilissimi e silenziosi. Non tutti possono passare sul marciapiede soprelevato e io sono felice di questo privilegio.

Secondo tempo del sogno (mi sfugge il passaggio da un sogno all'altro, ma nel ricordo sono connessi come se si trattasse di un sogno unico). Mi trovo all'interno di un immenso fabbricato, o meglio in una sequenza di fabbricati comunicanti l'uno con l'altro per mezzo di lunghissimi corridoi. Questo insieme di fabbricati *è Parigi*, una città che si percorre tutta al coperto, in ambienti molto lussuosi, a piedi, ma tenendo conto delle *directions* come nel métro. Da un ampio vestibolo scendo insieme a mio figlio una larga scala e arrivo alle toilettes. Entriamo insieme in un secondo ambiente tutto rivestito di moquette, con le porte numerate e rivestite di stoffa. Mio figlio bussa a una delle porte e qualcuno, in risposta, bussa dall'interno. Una signora ci si avvicina per dirci che i gabinetti sono tutti occupati e che conviene andare a cercare altrove. Percorriamo un lunghissimo corridoio e io dico: «Stiamo camminando in direzione di Neuilly». La signora mi dice che qui non siamo nel métro e io rispondo che lo so benissimo, ma che questo non ci impedisce di camminare «nella direzione di Neuilly» dove so che c'è un teatro molto grande e, annesse al teatro, ci saranno sicuramente le toilettes di cui vorrebbe servirsi mio figlio. Arriviamo finalmente a una porta a doppio battente rivestita di velluto rosso e entriamo in un teatro molto grande, le alte pareti tutte affrescate e senza palchi. Restiamo incantati a guardare in aria gli affreschi, ma mio figlio mi tira per la giacca e mi ricorda che ha bisogno della toilette. Attraversiamo la platea e usciamo da una porticina laterale. Le toilettes ci sono, ma sono chiuse. Usciamo dal teatro e prendiamo un altro corridoio, saliamo alcune scale e percorriamo altri corridoi, attraversiamo altri ambienti, ci affacciamo a qualche porta. La signora ci segue sempre senza parlare. A un tratto ci arrestiamo perché ci pare di avere udito un rumore d'acqua, ma non riusciamo a individuarne la provenienza. Cerchiamo di ritornare al punto di partenza, di ritrovare le toilettes con le porte numerate per vedere se finalmente ce ne fosse una libera. Ma poi entriamo in una stanza e raccogliamo alcuni oggetti da mettere nella valigia *per la partenza*: matite, quaderni, una scatola che potrebbe contenere un compasso. Passiamo poi in un'altra stanza dove incontriamo G. A. che ci consegna altri oggetti da mettere nella valigia: una scatola di ottone sigillata, un tagliacarte, un pacchetto di cartoline, quaderni. Ormai ci dirigiamo *verso la valigia* depositata in una stanza situata in basso, in un seminterrato o sotterraneo di questa Parigi al coperto. La stanza è nella «direzione Vincennes», ma ormai camminiamo lentamente perché siamo stanchi.

Roma, 17-18 ottobre

Avvicino un fiammifero acceso a una pagina sulla quale ho scritto con la macchina un certo numero di parole. Quelle infiammabili prendono fuoco subito e scompaiono in una nuvoletta di fumo. Altre parole esplodono con un colpo secco e anch'esse scompaiono. Altre non reagiscono al fuoco del fiammifero.

(Non riesco a ricordare né le parole «infiammabili» né le altre scritte sulla pagina).

Settecamini, 19-20 ottobre

Sto accovacciato, completamente nudo, sui rami di un albero altissimo, forse un pioppo, al centro di piazza Venezia. Non capisco come mi è venuto in mente di salire quassú e penso alla vergogna che proverei se qualcuno mi vedesse e mi riconoscesse. Cerco di rimanere immobile, aspetto il buio e che la piazza si vuoti per scendere. Ma come farò a percorrere la strada, cosí nudo, fino a casa? Mi accorgo che il tronco e i rami dell'albero sono insaponati. Cerco di spostarmi per trovare una posizione piú comoda, scivolo e precipito nel vuoto, urlando. Mi sveglio urlando.

Settecamini, 20-21 ottobre

Il condizionatore d'aria installato nel soggiorno della casa di Roma si è inceppato, fa un rumore strano, come se il ventilatore invece di girare liberamente macinasse qualcosa. Ogni tanto si blocca e poi riprende a girare. Mi alzo dal mio tavolo, mi avvicino alla griglia dell'aria fredda e mi accorgo che lungo il muro sta colando sangue. Vorrei fare qualcosa, uscire, gridare, ma non ho piú forze, non ho piú voce.

Roma, 21-22 ottobre

Alzo gli occhi e vedo in cielo, non tanto alta, una grande barca che vola. Un barcone panciuto tipo gozzo, con le vele spiegate. Il barcone passa sopra la mia testa volando silenzioso e quando arriva sul mare, che è lí poco distante, si abbassa a perpendicolo e cade sull'acqua con un plaff che risuona nell'aria, e tanti schizzi. Non sono affatto stupito della barca volante perché l'aria fino a una certa altezza, appunto quella dove la barca volava, è «densa» e forma una specie di «mare d'aria» sul quale si può navigare. Questa superficie si interrompe in corrispondenza del mare e è per questo che la barca è scesa di colpo sulla superficie dell'acqua. Questa è la spiegazione *sottintesa* durante il sogno.

(È la seconda volta che sogno, nel corso dell'anno, una barca che vola).

Roma, 22-23 ottobre

Sono cosciente di stare sognando, ma *nego il sogno* e mi convinco che si tratta invece della scena di un film. Io faccio la parte di una matita, grande e alta come me. Ma una matita può fare ben poco in un film. Mi lamento con il regista M. M. e gli dico: «Mi hai dato da fare una parte cogliona». Il regista sorride e mi spinge sul lato della strada perché, dice, dovranno passare dei cavalli. Sono molto invidioso dei cavalli che arrivano al galoppo, e sempre piú umiliato di essere una matita.

Roma, 25-26 ottobre

Sono a casa di una signora francese a piazza Navona. È sera e dalle finestre si vede tutta la piazza per il lungo con le tre fontane illuminate. Nella casa c'è gente, una mondanità, si beve e si chiacchiera. Mi soffio il naso con forza, alcune persone mi guardano e nei loro sguardi leggo il rimprovero per il rumore. Non ho il tempo di vergognarmi perché nel fazzoletto trovo alcune perle grandi e piccole che evidentemente sono venute fuori dal mio naso. Ho la tentazione di soffiarmelo di nuovo, ma gli sguardi severi della padrona di casa e di alcune signore me lo impediscono. Piego accuratamente il fazzoletto con dentro le perle e lo rimetto in tasca.

(Il sogno deriva evidentemente da una reminiscenza letteraria, un tratto notissimo del *Galateo* di Giovanni Della Casa: «Non si vuole anco, soffiato che tu ti sarai il naso, aprire il moccichino e guatarvi entro, come se perle o rubini ti dovessero esser discesi dal cèlabro». La casa di piazza Navona esiste realmente e vi sono stato una volta parecchi anni fa quando era abitata dalla signora francese del sogno).

Roma, 26-27 ottobre

Il cane vuole uscire sulla terrazza, *me lo ha detto*. Lo accompagno al piano superiore, poi fino alla portafinestra. Apro, il cane mette fuori la testa e vomita.

Roma, 27-28 ottobre

Un enorme branco di uccelli neri volteggia nel cielo sopra la terrazza con grande stridore. Il branco si alza e si abbassa, si allontana e ritorna sopra la terrazza. A un tratto si sente un crepitio sulla lamiera della grondaia, sul pavimento, sulle foglie dei fiori. È una pioggia di escrementi improvvisa che copre ogni cosa. Faccio appena in tempo a mettermi al riparo dentro casa.

Roma, 28-29 ottobre

Sto seduto su una pietra in mezzo a un bosco di radi alberi. Grandi querce e cespugli di ginepro, di rovo. Cerco di individuare il tempo, l'epoca in cui mi trovo, ma non ho elementi di giudizio. Nemmeno i vestiti perché mi accorgo di essere nudo. Non ho con me nessun oggetto che possa aiutarmi. Penso che potrei trovarmi anche nella preistoria. Nel dubbio non mi muovo dalla mia pietra.

(È evidente la contraddizione: chi ha una *idea della preistoria* non può vivere *nella preistoria*. Ma nel sogno non ho avuto la sensazione di contraddirmi. È la seconda volta nel corso dell'anno che sogno di trovarmi nella preistoria).

Roma, 29-30 ottobre

Sono di nuovo lí sul ciglio della strada a fare la parte della matita (come nel sogno del 22-23 ottobre). Ma ora il regista mi si avvicina con un lungo coltello e vuole *farmi la punta*. Mi viene da ridere perché penso che stia scherzando, ma il coltello è vero e la faccia del regista è seria. Non scherza affatto. Indietreggio di qualche passo e poi mi do alla fuga. Ma non riesco a correre, le gambe si muovono a vuoto, il regista sta per raggiungermi. Finalmente mi sveglio.

Roma, 30-31 ottobre

L'interno di un castello con molte voci e rumori. Passo da un salone all'altro in mezzo a una folla indaffarata di fate principi streghe orchi orchesse draghi draghetti gnomi e altri personaggi delle favole. Tra questi sono sorpreso di trovare un piccolo aspirapolvere che si muove come se fosse anche lui un personaggio. Cerco Biancaneve, Barbablú, Cenerentola, Cappuccetto Rosso, il Gatto con gli stivali, Pollicino, ma la confusione è tanta e non li trovo. Decido di andarmene perché in un salone è scoppiata una rissa e alcuni personaggi si stanno accapigliando con grida altissime. Cerco una porta per uscire.

(La presenza dell'aspirapolvere ha una sua giustificazione: esiste infatti, o esisteva, un piccolo aspirapolvere denominato «Folletto»).

Settecamini, 1-2 novembre

In mezzo a una piazzola di cemento una grande ruota metallica retta da due supporti fissi gira velocissima con un sibilo sottile. Il bordo della ruota è affilato come una lama.

Un uomo arriva di corsa, si scontra con la ruota e viene tagliato netto in due. Le due parti cadono sul cemento continuando a muoversi. Mi avvicino e riconosco con orrore il mio amico E. F. Sono spaventatissimo e nello stesso tempo attratto dalla ruota. Faccio qualche passo avanti, allungo un dito verso la lama in movimento. Il dito cade a terra tagliato netto. Mi sveglio con un leggero dolore al dito.

Settecamini, 3-4 novembre

Dalla finestra osservo due giovani con la barba e armati di mitra, probabilmente due terroristi, che stanno trascinandosi dietro nella strada in pieno centro un grandissimo coperchio legato con una fune. Il coperchio è del tutto simile a quelli che si usano per le pentole, ma la sua misura è fuori dell'ordinario perché è grande quanto la strada, e quindi anche molto pesante. Il rumore sul selciato richiama l'attenzione della gente che apre le finestre e si affaccia a guardare. I due giovani barbuti puntano i mitra verso l'alto e tutte le finestre si richiudono subito. Si sentono, da lontano, le sirene della polizia. I due giovani abbandonano il grosso coperchio in mezzo alla strada e scappano via.

Roma, 4-5 novembre

Di notte, in una strada buia di una città che non conosco, mi vengono incontro due uomini vestiti di scuro *identici* l'uno all'altro. Sono terrorizzato. Mi guardo intorno, vorrei scappare, ma è troppo tardi. I due uomini mi guardano e passano oltre. Mi infilo nel primo portone aperto, ma nell'androne buio avanzano verso di me quattro occhi luminosi. Sono i due uomini identici, sono ancora loro. Mi afferrano per le braccia e mi trascinano al buio, non so dove. Mi sveglio di soprassalto.

Roma, 5-6 novembre

Si sovrappongono nel sogno città e campagna. La nuova sede del «Corriere della Sera» l'hanno sistemata in un palazzo che sorge su una strada di campagna polverosa che scende verso il podere Perlaro, sull'Appennino Emiliano. Sono stati convocati per l'inaugurazione giornalisti e collaboratori. Io sto aspettando due giornalisti che mi accompagneranno in automobile (uno dei due non lo conosco e l'altro *so* che è M. C., un inviato speciale del «Corriere»). Intanto il mio cappello è andato a finire non si sa come su un lume di ferro battuto esterno, e M. C. me lo tira giú con una pertica, è gentile. Insieme andiamo alla sede del «Corriere». Una grande scalinata d'ingresso in cima alla quale ci aspettano delle persone vestite severamente. Al centro riconosco il direttore e il vicedirettore.

(Nella realtà non conosco personalmente né il giornalista M. C., né il direttore del «Corriere»).

Roma, 6-7 novembre

Devo riuscire a ottenere la rima tra «gabbiani» e «turbolenti». Scrivo le due parole su un foglio e lo batto con un martello. *So* che a forza di battere riuscirò a ottenere la rima tra queste due parole.

Roma, 7-8 novembre

Viaggio nello spazio velocissimo come un proiettile, forse *sono* un proiettile. Lo spazio è luminoso ma vuoto, non c'è sole, non ci sono stelle, il vuoto totale. Sarò un proiettile però ho la testa le gambe le braccia e il corpo e in piú *sono in grado di pensare*. A questa velocità però i pensieri non ce la fanno a tenermi dietro, appena mi viene un pensiero mi sfugge, *resta indietro*. Devo fare degli sforzi per trattenerli. Ho bisogno di capire, perché la situazione è insostenibile. La luce diminuisce lentamente, la penombra, poi il buio, e rientro nel sonno.

Roma, 8-9 novembre

Sono coinvolto con i terroristi in una impresa non chiara. Stiamo scappando su una macchina stracarica di oggetti, non armi: coperte, cavalletti di ferro, attrezzi e ferramenterie, borse e valige, pacchi di carte stipati nel baule e anche sul sedile posteriore. Qualcuno dice: «Meglio agire in pieno giorno quando nessuno se l'aspetta». Le macchine dei terroristi sono due e corrono nella campagna. Si fermano davanti a un grande casale dove due ragazze mie parenti mi offrono dei regali. Cosí, insieme al materiale dei terroristi devo caricare sulla macchina anche sciarpe di lana, cestini di dolci, bottiglie di vino, prosciutti e salami. Le due macchine ripartono portando via i regali. Io rimango e saluto con la mano i terroristi dall'alto di un muretto. Subito dopo arriva un'altra macchina, sempre di terroristi, e si ferma. Mi obbligano a salire. La macchina riparte a tutta velocità. Non so dove andiamo, so soltanto che siamo inseguiti dalla polizia e che dovremo nasconderci. Vengo abbandonato sulla strada e ora devo superare un «passaggio obbligato». Il passaggio è doppio: da una parte c'è la zona «proibita» dove si confezionano materiali atomici, dall'altra c'è un ambiente angusto, camuffato come luogo di smistamento di merce innocente, cereali e altri prodotti commestibili. Il guardiano del doppio passaggio non si fa vedere. Passo per una strettoia, di traverso, scivolando con i piedi in avanti e le braccia strette sui fianchi per uscire dal secondo ambiente. Finalmente superato l'ostacolo, posso camminare tranquillamente sulla strada in mezzo alla gente.

Mi fermo a leggere un manifesto incollato sul muro di una vecchia casa. Il manifesto è composto da un'unica scritta: I CITTADINI SONO MATTI. Sono sorpreso ma nemmeno tanto.

Roma, 9-10 novembre

Seduto nel soggiorno della casa di campagna sto sfogliando un grosso libro. Le ultime pagine sono di carta marrone macchiata, come fogli di sughero, senza stampa. Ho letto circa la metà del libro e dico a Anna: «Vedi, credevo di avere letto metà di questo libro e invece ho letto piú della metà perché le ultime pagine non sono stampate». Continuo a sfogliare e mi accorgo che *non sono stampate nemmeno le pagine che ho letto*. A questo punto vado a controllare l'opera completa (questa sembra una «correzione» al sogno perché fino a questo punto non risultava che il volume facesse parte di un'opera piú vasta). Trovo che tutti e cinque i volumi sono intatti di fuori ma sono stati manomessi nelle pagine, che risultano tutte senza stampa. Dico: «Può essere stato solo F. C. quando gli ho prestato il libro». Sono molto sorpreso che l'amico al quale ho prestato l'opera mi abbia sottratto il testo, da lui non me l'aspettavo.

Roma, 11-12 novembre

Percorro a piedi insieme a mio fratello (medico, di due anni maggiore di me) il viale di una casa di campagna sull'Appennino Emiliano dove passavamo le estati fino agli Anni Cinquanta. Il viale conduceva a una specie di poggio-belvedere e era costeggiato da alberi da frutta. Nel sogno è diventato una strada di città e in fondo c'è un cinematografo con una scritta luminosa del film che proiettano: *Il segno di Z*. La *Z* è piú grande delle altre lettere. Mio fratello dice:

«Mi piace Zorro». E io dico: «Ma no, ti piace soltanto Topolino». Lui insiste che vuole vedere questo film e io scherzo e dico: «Vai vai a vedere *Il segno di Zafferano*». Mio fratello entra nel cinematografo e io torno indietro avviandomi verso casa.

Roma, 12-13 novembre

Penso nel sogno (qualche sogno è fatto di soli pensieri, in genere molto elementari): «I pomodori pelati sono acidi e perciò non si possono conservare nei recipienti di plastica. L'acqua non è acida e si può conservare nei recipienti di plastica».

Roma, 14-15 novembre

Un cimitero: fiori, sole, marmi, ottoni, una atmosfera per niente sinistra. Mi accompagna una persona anonima e servizievole che resta sempre qualche passo indietro per cui ci parliamo senza che io possa vederla in faccia. Ha la mia stessa voce e immagino che mi assomigli anche fisicamente. Sono venuto qui per il solito «pasto». Le tombe si aprono facilmente sollevando il coperchio sui cardini e il mio accompagnatore ora mi mostra i cadaveri di uomini giovani, ben vestiti, alcuni con il cappello in testa. Scelgo i cadaveri e ritornerò piú tardi per mangiarli. Il rapporto fra me e il procuratore di cadaveri avviene senza il minimo imbarazzo, come se si trattasse di un cibo qualsiasi. Ma i morti mi commuovono, aggiusto i fiori nei vasi, tolgo quelli appassiti, mormoro qualche preghiera. Alla fine sbadiglio e poi esco dal cimitero come se uscissi da un supermercato, soddisfatto dei miei acquisti. Porgo il denaro al mio accompagnatore (al mio doppio), poi ci allontaniamo in direzioni diverse.

(Qualche riferimento con il giorno dei morti? Durante il

sogno mi pare di aver fatto mentalmente giochi verbali fra «tombe», «trombe», «bombe»).

Roma, 15-16 novembre

Su sfondo nero una mezza mela grande come una damigiana, appesa a un trespolo, dondola e suona come una campana. Mi avvicino e le do un calcio per farla smettere di suonare. Mi accorgo nel darle il calcio che ho tre gambe. La cosa non mi stupisce nemmeno tanto e continuo a scalciare fintanto che la mela-campana tace. Mi allontano camminando al buio, muovendo con disinvoltura le mie tre gambe. La zona dove mi trovo è una campagna *senza orizzonte*. Attraverso un bosco, un campo di grano, un prato, e qui trovo all'ombra di un albero la seconda metà della grande mela. Mi avvicino, la accarezzo a lungo e finalmente riesco a «possederla».

Roma, 16-17 novembre

Una sedia, un armadio, un letto sfondato e alcune bottiglie vuote stanno in mezzo a una strada di città. Aggiungo alcuni grappoli d'uva, un rametto di lauro, poi mi levo una scarpa, la metto sul letto sfondato e mi allontano contento di avere composto una «natura morta». Mi dico: «Sono anch'io un pittore come tutti gli altri».

Settecamini, 17-18 novembre

Su un tavolo di marmo un uomo in camice bianco mi mostra un fegato umano, *il mio*. «È sano», dice l'uomo. «E allora perché mi fa male? Ci dev'essere un guasto». «È sano, se lo riprenda». Riprendo il fegato e *me lo rimetto dentro*. «Allora non vi pago», dico io e me ne vado via. Scendo le scale pensando che è sbagliato mettere un muratore, l'uomo in camice bianco, nel posto che dovrebbe essere tenuto da un medico.

(Nella realtà e per la precisione, non ho mai avuto nessun disturbo al fegato).

Roma, 18-19 novembre

Potrebbe essere il vecchio palazzo della Prefettura che sorgeva a Parma in cima a via Garibaldi prima della guerra, poi distrutto dai bombardamenti. Salgo al primo piano e apro una porta molto alta che dà su un salone grandissimo, vuoto, sontuoso, decorato di stucchi, specchi e dipinti. Mi trovo a tu per tu con Hitler, vestito in borghese, un po' smarrito. Sono molto sorpreso e gli dico: «Che cosa cazzo fai qui?» Lui risponde che non è riuscito a dormire durante la notte e che è molto stanco e nervoso. Non voglio compromettermi e perciò decido di andarmene. Hitler mi prega di mandargli almeno un telegramma. Mentre scendo le scale decido che non manderò nessun telegramma.

Roma, 19-20 dicembre

Cerco di sognare l'esterno di una casa russa a Mosca, forse per «ambientarvi» un sogno, ma non ci riesco. L'unica immagine che si concretizza è una finestra aperta senza davanzale, senza stipiti e senza architrave, insomma il buco, l'aria scura, nulla. Insisto nello sforzo, ma senza risultato. Alla fine rinuncio al sogno.

Roma, 21-22 novembre

La casa-macchina si trova in fondo a corso Rinascimento presso piazza Zanardelli. Mi accoglie sulla scala di ingresso il mio amico M. C. che ne è il proprietario, disposto a vendere. Io a comprare. Prima di visitare l'interno mi invita a salire sul tetto dove posso rendermi conto del «funzionamento». Il tetto è percorribile intorno alla «cupola» centrale che termina con una cuspide alla quale fanno capo quattro tiranti di acciaio collegati a quattro travi verticali che tengono unita la casa. I tiranti si tendono e si allentano perché *la casa è elastica* e si può restringere e allargare di qualche decina di centimetri. Tutti questi meccanismi sono efficienti, ma antichi. Scendiamo una scaletta per visitare l'interno. Un corridoio con un tratto a tapis-roulant velocissimo sul quale rischio di perdere l'equilibrio, e arriviamo nel salone principale che sta sotto la cupola. Il soffitto è a volta, dipinto a losanghe di colore grigio, ma a tratti la decorazione è svanita. L'amico dice che si potranno fare le «riprese» del colore, perché gli stucchi sono ben conservati. Passiamo in una saletta attigua, anch'essa a volta, e da qui scendiamo a un piano inferiore dove si cammina su una passerella di legno dalla quale si arriva nella zona dei servizi, stanze piccole non piú a volta ma con soffitti tradizionali di legno e mattoncini. Qui altri meccanismi sono incorporati nella casa, pareti mobili, porte automatiche. Tutto in efficienza anche se un po' consunto. Mi persuado all'acquisto della casa-macchina e lo dico a M. C. che mi accompagna all'uscita.

(M. C. è un architetto mio amico e possiede realmente una casa nelle vicinanze di corso Rinascimento).

Roma, 22-23 novembre

Uno stanzone quadrato con il soffitto basso dove si svolgono riunioni supplementari del Parlamento e del Senato. Vengo introdotto dal senatore L. A. e abbandonato nella penombra polverosa. Sul lato opposto a quello dell'ingresso c'è una rientranza con un negozio «interno» dove si vendono pipe, accendini, scatole e borse per il tabacco e altri oggetti per fumatori. I prezzi sono molto bassi, circa la metà di quelli «esterni». Scelgo tre pipe Dunhill. È la prima volta che compro tre pipe tutte insieme e lo faccio notare al commesso che però non mi dà retta. Me ne vado con le mie pipe in mano, felice per l'acquisto. Fuori mi aspetta L. A. che mi rimprovera: «Hai comprato tre pipe mentre in città impazzano i terroristi». Rispondo: «E tu stai fumando una sigaretta mentre in città impazzano i terroristi».

(Ecco un altro sogno particolarmente «stupido» che forse ha qualche riferimento con il fatto che nell'ultimo anno ho messo fuori uso in modi diversi tre pipe fra cui una Dunhill alla quale tenevo molto. In coda al sogno mi pare di aver notato che L. A. ha detto «impuzzano» e non «impazzano», ma non ne sono sicuro).

Settecamini, 24-25 novembre

Sono finito in una «zona ostile», una piana rettangolare circoscritta da un muro di piccola altezza. Tre uomini mi stanno intorno, due piccoli loschi individui e un uomo gigantesco. Mi avvicino alla mia automobile, una Volkswagen maggiolino colore verde chiaro, e mi accorgo che alcune parti della carrozzeria sono state smontate, trinciate in piccoli pezzi e poi gettate su un mucchio di rifiuti. Le riconosco dal colore verde chiaro. Minaccio i due uomini piccoli e loschi: «Chiamerò i carabinieri!» Quelli alzano le spalle.

Raccolgo i pezzi della carrozzeria, ma sono inutilizzabili, non combaciano piú. Intanto l'omaccione sta arando il rettangolo di terra con il trattore e solleva molta polvere. In breve ha finito, mi si avvicina, fa un conto rapido e mi dice che per il suo lavoro devo pagare un milione. Mi sembra molto e domando se ha misurato la superficie arata. L'uomo alza le spalle. Allora dico che la misurerò io e senza aggiungere altro tento di darmi alla fuga. Muovo le gambe e le braccia ma mi accorgo che sono sempre nello stesso posto, non riesco a spostarmi di un millimetro. L'omaccione e gli altri due si avvicinano minacciosi, ma mi sveglio prima che riescano a mettermi le mani addosso.

Roma, 26-27 novembre

Sto portando una pesante valigia piena di fango verso la stazione. Vorrei prendere un taxi, ma la valigia sgocciola e temo che il taxista mi faccia delle domande. Proseguo a piedi lasciando una scia bagnata sull'asfalto. Arrivano alle mie spalle tre capre e si mettono a leccare la valigia sgocciolante. Cerco di scacciarle, non ci riesco. Per colpa loro verrò sicuramente scoperto, ma non posso mettermi a correre perché la valigia è molto pesante.

(Ancora la sensazione che il sogno trascritto non sia altro che un frammento di un sogno molto piú lungo e avventuroso).

Roma, 27-28 novembre

Perché ho riso nel sonno? Ho sognato un albero che *si era sbagliato* e aveva messo i fiori direttamente sul tronco invece che sui ramoscelli esterni. Ho trovato comico questo «errore» della natura e ho riso nel sonno fino a svegliarmi.

(Ancora il problema del comico «in natura», ma da sveglio trovo la cosa strana e non proprio comica).

Roma, 28-29 novembre

Una strada di campagna con due muri grezzi ai lati. La strada è in discesa e attraversa una zona arida, senza case, disseminata di massi bianchi. Sto per incamminarmi quando noto, proprio in testa al muro di sinistra, una bottiglia di vetro scuro che è stata murata in modo da lasciare sporgere le punte acuminate del collo spezzato. La vista della bottiglia murata mi convince a non intraprendere il cammino.

Roma, 1-2 dicembre

Sotto l'oratorio dei Filippini annesso alla chiesa dei Filippini del Borromini in corso Vittorio Emanuele, c'è un grande sotterraneo occupato da una falegnameria. Sono entrato per ordinare una libreria e ora vorrei uscire, ma non trovo piú la porta. Domando a uno dei lavoranti e mi dice con un sorriso che la porta *non c'è*. Quindi non si può uscire. Una cosa come questa, mi dico, può succedere solo in un sogno. Basterà che apra gli occhi e avrò risolto il problema che ora mi angoscia. Riesco a aprire gli occhi veramente, a svegliarmi. Il problema sembra risolto, ma quando mi riaddormento mi ritrovo nel sotterraneo con lo stesso problema, e questa volta con me c'è anche Ulisse. Per quanto astuto, nemmeno lui riesce a trovare un modo per uscire dal sotterraneo senza porte. Siamo nei guai. Di nuovo vorrei svegliarmi, cerco di aprire gli occhi, ma non ci riesco. Mi sveglio solo piú tardi, sopraffatto dall'angoscia e dalla claustrofobia.

Roma, 2-3 dicembre

Sfoglio a lungo un dattiloscritto per eliminare le pagine meno riuscite. È un lavoro noioso che faccio di malavoglia per un autore che non conosco. Prima di gettare nel cestino le pagine eliminate ci sputo sopra.

(Un altro sogno riprovevole, non ho mai sputato sui dattiloscritti altrui, anche se noiosi).

Roma, 3-4 dicembre

All'inizio di un vicoletto rustico che si apre su una lontana prospettiva di case antiche c'è un fico d'India con un frutto proprio all'altezza dei miei occhi. Lo tocco e sento che è maturo. Dico allo sconosciuto che mi sta vicino di coglierlo per me. Lo sconosciuto (assomiglia a G. F., un contadino di Settecamini) mi invita a spostarmi di qualche passo su un lato del vicoletto dove ci sono tanti frutti maturi e di belli colori. Lo sconosciuto coglie i frutti e me li porge sbucciati.

Roma, 4-5 dicembre

Nel buio c'è una ciambellona, grande come un copertone di automobile ma di spessore quasi doppio, nera. La ciambellona dovrà essere liberata nello spazio buio. È evidente che un oggetto nero nel buio nessuno potrà vederlo. Allora prendo un barattolo di talco e lo spargo sulla ciambella, poi lo strofino con la mano perché vi resti appiccicato. Finalmente libero l'oggetto nello spazio buio e lo osservo mentre si allontana volando.

Settecamini, 7-8 dicembre

Il tentativo è quello di allontanare l'utilitaria blu che si è fermata al buio davanti alla mia casa di campagna. C'è il rischio che quelli si mettano a sparare, ma devo assolutamente allontanare la macchinetta blu. Mi dirigo con la mia automobile contro l'utilitaria tenendo accesi i fari abbaglianti per costringerla a retrocedere. Infatti ecco che l'utilitaria indietreggia fino alla siepe di bosso e oltre. Improvvisamente mi si spengono i fari e questo mi mette veramente nei guai perché mi trovo nel buio totale. Imbocco la stradina che gira intorno alla casa lungo il bosco e corro veloce come su una autostrada. La stradina sarà lunga sí e no una cinquantina di metri e la durata della corsa è assolutamente sproporzionata alla lunghezza del percorso. Continuo a correre sulla mia automobile, nel buio, senza sapere se sto inseguendo l'utilitaria o se sono inseguito.

Roma, 10-11 dicembre

Ho scritto un racconto che si svolge su un lago e sono preoccupato perché i lettori dovranno tenere la pagina del giornale in posizione orizzontale altrimenti l'acqua straborderà allagando case e strade. E i lettori rischieranno di affogare.

Roma, 11-12 dicembre

Sto spaccando in quattro dei bottoni con un coltello da cucina e un martello. Prendo i bottoni da una scatola, li spacco in quattro con due colpi secchi e ripongo i pezzi in un'altra scatola. Mi dispiace soltanto di fare questo lavoro *per conto di terzi*, in una casa che non è la mia.

Roma, 12-13 dicembre

Ho intenzione di seppellire un mio racconto, ma temo che prenda umidità e si rovini. Ho in mano una scatola di sigari Bra Silva, ma è di legno, non è adatta per seppellire il racconto. Decido di fare la prova con due sigari, uno brasiliano e un toscanello. Chiudo i due sigari nella scatola di legno e prendo una zappa per andarli a seppellire nel giardino di Castel Sant'Angelo.

Roma, 13-14 dicembre

Mi trovo in bicicletta entro il recinto di una specie di «club dei suicidi». Sono tranquillo per non dire allegro. Come tutti gli altri soci sto pedalando con il manubrio bloccato fino al momento in cui cadrò in un precipizio. Un altro candidato al suicidio ha una bicicletta con un manubrio che preferisco al mio. Gli chiedo se vuole scambiare la sua bicicletta con la mia, ma risponde di no. Gli offro dei soldi e di nuovo rifiuta. Rinuncio al suicidio in bicicletta per tentare con il fuoco. Accendo un fuocherello sul pianerottolo di una casa. La porta si apre e compare A. G. il quale mi dice che dovrei provare versandomi del petrolio su una manica della giacca. Il suggerimento non mi piace e me ne vado via.

Secondo sogno. Mia madre è a letto con la febbre alta. Le do una mezza pasticca di aspirina dopo averla spezzata con un temperino. La pasticca è azzurra di fuori e bianca di dentro.

Terzo sogno. Non capisco che cosa sia successo, tutto in casa è diventato molle. Il pavimento sembra fatto di gomma e cosí i muri. Tocco il tavolo e ondeggia perché le gambe sono diventate molli. Molli sono i libri, le seggiole, la macchina per scrivere, le matite, il telefono, ogni cosa. Non posso sedermi, non posso scrivere, non posso fare niente.

Continuo a controllare uno a uno gli oggetti e li trovo sempre tutti molli.

Roma, 14-15 dicembre

Austeri professori mi stringono la mano e si congratulano con me. Sono stato nominato professore in «topolinologia» e dovrò tenere lezioni sui giornaletti di «Topolino».

(Nella realtà ho letto «Topolino» come tutti, ma non sono mai stato un gran lettore di fumetti né tantomeno un «esperto»).

Roma, 15-16 dicembre

C'è qualcosa che luccica in mezzo alla terra di un campo arato, nel podere di Settecamini. Mi avvicino e, scavando con le mani, tiro fuori la famosa scrofa d'oro nascosta, secondo la leggenda medievale, nei pressi di Orvieto. La scrofa è di oro massiccio e pesa almeno quattro o cinque chili. Scavo ancora con le mani per cercare i porcellini d'oro. Non ci sono. Chi li ha presi? I contadini? Ma perché non avrebbero preso anche la scrofa? Oppure la leggenda è sbagliata? Nascondo la scrofa d'oro sotto la giacca e mi incammino verso casa temendo di essere vittima di un tranello. Mi fermo a cogliere dei fichi maturi da un albero, ma mi accorgo che sono pieni d'acqua e, schiacciati fra le dita, esplodono come dei palloncini schizzandomi l'acqua in faccia.

Roma, 16-17 dicembre

Sto parlando con mia figlia di una attrice che lei non conosce. Dico: «È litigosa, litiga con tutti». E mia figlia mi fa osservare che si dice «litigiosa», non «litigosa». Io insisto e dico ancora: «È litigosa, preferisco litigosa». «Però è sbagliato», dice mia figlia. «Sarà sbagliato ma ognuno parla come gli pare», dico io.

Roma, 18-19 dicembre

Cinque porte blindate costano sette milioni. Io e Anna siamo perplessi, la spesa è forte. Chissà se bastano quattro invece di cinque. Il direttore del grande negozio ci fa vedere il funzionamento dei chiavistelli, mi mette in mano la chiave perché la provi. La provo e mi sembra che funzioni perfettamente. Do la chiave a mia moglie che prova anche lei. Sul funzionamento non abbiamo obiezioni, ma il prezzo è troppo alto, non possiamo decidere subito.

(Il sogno è incompleto, ne sono certo, ma non riesco a ricordare il resto. Piuttosto che a facili simbologie sessuali lo metterei piú concretamente in riferimento con la preoccupazione costante dei furti nelle case. Gli scassinatori già sono entrati o hanno tentato di entrare in tre appartamenti del palazzo dove abitiamo a Roma per cui da qualche tempo abbiamo rinforzato i cardini e le serrature delle due, non cinque, porte dell'appartamento).

Roma, 19-20 dicembre

Siamo seduti io e Anna su due poltrone di vimini in una grande terrazza davanti a un giardino fiorito. C'è una fontana a zampillo, grandi alberi e sullo sfondo una montagna boscosa. Viene avanti una figura di donna giovane e si siede vicino a noi. La riconosciamo, è la figlia del re. Un cameriere posa sul tavolo una fruttiera colma di ciliege molto piú grandi del normale. La figlia del re sorride e ci dice che possiamo mangiarle. Mentre noi mangiamo le ciliege la figlia del re ci parla di Leonardo da Vinci.

(La scena assomiglia a un incontro con la figlia del presidente della Repubblica Bulgara, ministro della cultura, sulla terrazza della residenza di campagna durante un congresso di scrittori, in giugno).

La stessa notte sogno di percorrere un fitto bosco in bicicletta. Al mio passaggio tanti uccelletti sfrullano via tra i cespugli e si alzano in volo.

Roma, 20-21 dicembre

Una tromba d'aria solleva un carro carico di fieno in mezzo a un campo di montagna e lo porta in alto nel cielo. La tromba d'aria ha un colore, è grigia e scura come una nuvola temporalesca, con una tendenza al violaceo. Il carro di fieno vortica nel cielo insieme alla tromba d'aria che si allontana rombando. Mi domando se il carro di fieno portato in cielo diventerà, di notte, l'Orsa Maggiore o l'Orsa Minore, nominati in astronomia anche come «carri».

(Il sogno mi è stato suggerito probabilmente da un episodio analogo raccontato in *Poveri homini* di Giorgio Franchi, diario secentesco di un parroco di Berceto pubblicato dalla Cooperativa Scrittori).

Roma, 21-22 dicembre

C'è un mucchio di spazzatura a un angolo di strada in una città che non riconosco, ma che potrebbe essere Napoli. Accendo un fiammifero e appicco il fuoco a delle cartacce. Le fiamme si espandono immediatamente, investono tutto il mucchio di rifiuti e si alzano altissime con grande fumo. Mi allontano spaventato e le fiamme continuano a salire piú alte, raggiungono e poi superano in altezza un palazzo di molti piani. Incomincia a accorrere gente e io mi confondo ai nuovi arrivati temendo di venire individuato come l'autore dell'incendio. Le fiamme prendono un colore metallico, lucente, e fanno uno strano rumore, un lamento quasi umano.

Settecamini, 22-23 dicembre

Passeggiata in un bosco alla ricerca di che cosa? Funghi o fiori, non è chiaro. Sono in compagnia di G. D. e ci imbattiamo in un tempietto simile a quelli del Sacro Monte di Orta. Attraverso il cancello socchiuso si vedono all'interno due nicchie e in una di queste dovrebbe essere custodito «il segreto». È questo segreto che andiamo cercando e non i funghi o i fiori. Il cancello non si apre piú di tanto, i grossi cardini sono arrugginiti, e io mi faccio sottile per passare attraverso i due battenti e entrare nel tempietto. Salgo qualche gradino e mi avvicino alla prima nicchia. È vuota. La seconda nicchia, in luogo piú appartato, quasi buio, la raggiungo con qualche difficoltà. Dentro c'è qualcosa di poco pulito, rifiuti, molte ragnatele, oggetti sfatti, cattivo odore. Allora dov'è «il segreto»? Ritorno al cancello per uscire, ma non riesco piú a passare tra i due battenti. Da fuori l'amico mi incoraggia, prima la testa, poi un piede, il ginocchio, la spalla. A forza di contorcimenti finalmente esco dal cancello. Riprendiamo a camminare nel bosco.

Settecamini, 23-24 dicembre

Un uomo in camice verde spiega a me e a altri quattro o cinque uomini i vecchi procedimenti per temprare l'acciaio. Dall'ambiente modernissimo dove ci troviamo, simile alla sede di una compagnia aerea, passiamo in uno stanzone-officina contiguo. Qui un uomo immerge con le molle dei ferri arroventati in vasche di acqua fredda. Il ferro sfrigola e dall'acqua salgono fumate di bianco vapore. «Questo è il sistema piú comune per temprare l'acciaio, – spiega l'uomo in camice verde, – ma oggi si può fare anche un trattamento a freddo che consiste nella semplice immersione in un liquido ionizzato». Non so che cosa significa «ionizzato». Ritorniamo nel primo ambiente e l'uomo ora ci dice che con i nuovi sistemi si può temprare *tutto*. «Anche il cazzo?» domanda uno dei presenti. «Certamente», risponde l'uomo. «Questa è una buona notizia», commenta l'altro. Parlottiamo fra di noi e poi l'uomo che ha fatto la prima domanda, chiede se si può incominciare subito. L'uomo in camice verde spiega che il trattamento è piuttosto lungo e che prima delle immersioni il cazzo va «preparato» per qualche mese con una pomata speciale. Ci mostra dei tubetti bianchi e dice che costano un dollaro. Ognuno di noi prende dal portafoglio un dollaro e compra un tubetto. «Ci sarà da fidarsi?» domando all'uomo che ha fatto le domande e lui dice: «Assolutamente».

Settecamini, 25-26 dicembre

Sono appeso a un grosso elastico agganciato al soffitto altissimo. Le pareti dell'ambiente sono affrescate, scene di angeli e di diavoli. Laggiú in basso ci sono diverse persone con le mani alzate pronte a afferrarmi. Mi lancio verso il basso, ma l'elastico mi riporta in alto ogni volta. Arrivo fino a qualche metro dalle braccia alzate, ma non riesco mai a scendere abbastanza. Continuo a volare su e giú, ma ogni sforzo appare inutile.

Settecamini, 26-27 dicembre

Sto ascoltando dischi di jazz insieme a degli ospiti americani, i coniugi S., e Anna. È una casa che somiglia alla mia, ma non è. Qualcuno suona il campanello della porta e io mi alzo per andare a aprire perché, solo a questo punto, mi rendo conto che questa invece *è la mia casa*. Apro la porta e mi trovo davanti Napoleone, vestito da Napoleone cosí come siamo abituati a vederlo nei quadri e nei film. Gli dico: «Vattene!» e gli chiudo la porta in faccia. Ritorno nella stanza della musica e dico: «Era Napoleone, ma l'ho cacciato via. Gli ho detto anche vaffanculo!» Tutti ridono.

Settecamini, 27-28 dicembre

Sto facendo un esperimento insieme a un contadino. In mezzo al campo gli ho fatto estrarre dalla terra un alberello con tutte le sue radici. Poi gli dico di piantarlo nello stesso buco, ma capovolto, con i rami sotto terra e le radici in alto. Sono sicuro che le radici metteranno le foglie in primavera e che i rami diventeranno radici. Il contadino ride incredulo.

Settecamini, 29-30 dicembre

Strano fatto, quando parlo mi escono di bocca le parole in stampatello, si reggono in aria per qualche secondo e poi si scompongono e cadono a terra. La cosa mi diverte, ma mi preoccupa anche. Da principio divertirà i miei amici, ma poi finirà per infastidire perché già qui, mentre parlo da solo e a voce alta, il pavimento si è coperto di tante lettere, come coriandoli. Mi chino a raccoglierne qualcuna per vedere di quale materia sono fatte. Sono fatte di carta, cartoncino, piú sottile se parlo sottovoce, piú spesso se parlo a voce alta. Prima di uscire di casa prendo una scopa e ripulisco il pavimento.

(Il sogno assomiglia a una pagina di un mio libro. Mi è successo altre volte di compiere in sogno dei «plagi» dai miei libri).

Settecamini, 30-31 dicembre

Una grande sfera di cristallo, piú di un metro di diametro, è al centro del soggiorno nella casa di Settecamini. Vorrei trovare il modo di entrare nella sfera, la faccio girare lentamente nella stanza per vedere se c'è un pertugio, o una falla, che mi consenta di entrarvi. Capisco che la cosa non è possibile, ma continuo a cercare con accanimento. Non si sa mai.

Breve epilogo del sognatore

Ho pensato qualche volta al sogno come a una valvola che regola le pressioni interne e ci impedisce di «scoppiare» anche quando ci appare come una lacuna, un errore o una minaccia. Ora temo che l'avere trasformato in recluse pagine scritte una attività della mente per sua natura volatile porti con sé il rischio di una violenza, la rottura di un equilibrio.

Non ho ancora deciso se augurarmi di «guarire» dai sogni, come da una malattia, o rassegnarmi a considerarli una prigione dalla quale mi è impossibile evadere.

Indice

Finito di stampare il 9 gennaio 1981 per conto della Giulio Einaudi editore s. p. a.
presso l'Officina Grafica Artigiana U. Panelli in Torino

C. L. 5142-5